# La Chine

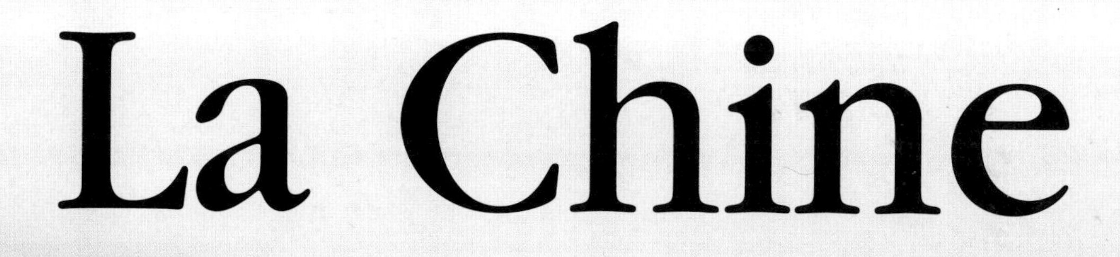

# La Chine

Adaptation française de Gisèle Pierson

Gründ

GARANTIE DE L'ÉDITEUR

Malgré tous les soins apportés à sa fabrication, il est malheureusement possible que cet ouvrage comporte un défaut d'impression ou de façonnage. Dans ce cas, il vous sera échangé sans frais. Veuillez à cet effet le rapporter au libraire qui vous l'a vendu ou nous écrire à l'adresse ci-dessous en nous précisant la nature du défaut constaté. Dans l'un ou l'autre cas, il sera immédiatement fait droit à votre réclamation.

Librairie Gründ – 60, rue Mazarine – 75006 Paris

Adaptation française de Gisèle Pierson
Secrétariat d'édition : Anne Terral

Première édition française 1998 par Librairie Gründ, Paris

ISBN : 2-7000-5904-2
Dépôt légal : août 1998
Édition originale 1997 par Hamlyn,
une marque de Reed Consumer Books Limited
sous le titre original *Complete Chinese*

Composé en Garamond et AntiqueOlive
par Le vent se lève...

Imprimé en Chine

NOTES

Utilisez des œufs de grosseur moyenne sauf indication contraire.

La viande et la volaille doivent toujours être bien cuites. Pour vérifier si une volaille est cuite à point, percez la chair à l'endroit le plus épais, avec une brochette ou une fourchette, le liquide qui s'écoule ne doit être ni rose ni rouge mais clair et transparent. Ne recongelez jamais un plat cuit qui a été décongelé auparavant.

Utilisez du lait entier, sauf indication contraire.

Le poivre employé est toujours du poivre noir du moulin, fraîchement moulu, sauf indication contraire.

Les herbes doivent être fraîches, sauf indication contraire. Si vous n'en trouvez pas, remplacez-les par des herbes séchées, en diminuant les quantités de moitié.

Le four doit être préchauffé à la température indiquée. Si votre four est à chaleur tournante, suivez les instructions du fabricant concernant les temps et températures de cuisson.

# Sommaire

# Introduction

Les Chinois aiment passionnément la bonne cuisine. Les familles chinoises peuvent passer des heures rassemblées autour d'une table, à décider de ce qu'elles vont préparer, à manger, puis à se rappeler leurs plats favoris et leurs méthodes de cuisson préférées. La nourriture, en Chine, dépasse la seule nécessité biologique. C'est tout un art de vivre, essentiel à une vie harmonieuse.

Lorsqu'un Chinois rencontre un autre Chinois, il lui demande « Chi fan le mei yo ? », ce qui signifie littéralement, « Avez-vous déjà mangé du riz ? ». C'est là un bonjour quotidien qui correspond à notre « Comment allez-vous ? » et qui contient des vœux de bonne santé et de bonheur.

## *Quatre écoles de cuisine chinoise*

La Chine comporte environ 55 minorités ethniques, dont chacune a contribué à sa manière à la diversité culinaire de ce vaste pays. Il n'est donc guère surprenant qu'il n'existe pas de cuisine chinoise proprement dite, mais plutôt un grand nombre de traditions culinaires.

Ces traditions peuvent être regroupées en quatre écoles de cuisine principales qui dépendent en grande partie du climat et des produits locaux disponibles.

Ces quatre écoles de cuisine chinoise sont nées dans les provinces suivantes : Guangdong (et sa capitale Canton) pour la cuisine du Sud ; Jiangsu (et ses principales villes Nankin et Shanghai) pour la cuisine orientale ; Sichuan pour la cuisine occidentale ; Shandong et Henan (dont la capitale est Pékin) pour la cuisine du Nord.

## *La cuisine du Sud : Canton*

La cuisine cantonaise se trouve surtout dans la province de Guangdong, en Chine du Sud, près de Hong-Kong. Cette cuisine est probablement la plus connue en Occident, de nombreuses familles chinoises de cette région ayant émigré en Europe et en Amérique au XIXe siècle.

La cuisine cantonaise est considérée comme la « haute cuisine » chinoise, souvenir des remarquables chefs de la cour impériale qui s'enfuirent à Guangzhou (Canton) après la chute de la dynastie Ming, en 1644.

Les Cantonais aiment les plats exotiques comme ceux préparés avec du serpent, des cuisses de grenouille ou du chien. La cuisine cantonaise doit également beaucoup aux poissons et aux fruits de mer locaux, sources de nombreuses spécialités. Les légumes par exemple sont souvent fourrés avec une farce aux fruits de mer.

Les recettes à l'aigre-douce sont une autre délicieuse spécialité de la cuisine cantonaise, ainsi que les petits chaussons ou dim sum, servis avec le thé de l'après-

*« ... Les dim sum, petits chaussons fourrés, sont une spécialité cantonaise. »*

midi ou pour un déjeuner léger. La région est connue pour ses rizières et le riz en est l'aliment principal.

Les Cantonais évitent les saveurs trop puissantes, comme l'ail et les épices. Ils préfèrent parfumer les plats avec de la sauce de soja, de la sauce hoisin ou de la sauce d'huîtres, qui permettent d'obtenir un subtil mélange d'arômes et de couleurs. Les aliments n'étant jamais très cuits afin de conserver parfums, consistances et couleurs d'origine, la cuisson rapide à la sauteuse ou à la vapeur est la plus courante.

## *La cuisine orientale : Nankin et Shanghai*

La cuisine orientale se trouve principalement autour de Yangzhou, sur la côte bordant la mer de Chine orientale. Les terres entourant cette ville font partie des plus fertiles de la Chine et elles produisent une riche variété de fruits et légumes frais. L'estuaire du Yang-Tsé-Kiang étant omniprésent et la bande côtière très longue, le poisson frais et les fruits de mer abondent.

Parmi les spécialités, on note de nombreux plats à la vapeur, dont les populaires petits chaussons salés, et dans le delta du Yang-Tsé-Kiang, toute une variété de plats aux nouilles, connues pour leurs parfums subtils.

Nankin est célèbre pour ses succulentes recettes de canard et Shanghai pour sa cuisine sophistiquée. Les cuisiniers de Chine orientale apprécient particulièrement la cuisson rapide à la poêle ou à la sauteuse, à la vapeur, à l'eau bouillante ou le lent braisage dans une sauce de soja épaisse. Cette cuisine est riche en raison de l'usage très répandu d'huile et de sucre dans les plats salés.

## *La cuisine occidentale : province de Sichuan*

Fruits et légumes, porc, volaille et poisson sont abondants dans cette région occidentale de la Chine, située à l'intérieur des terres. Le piment brûlant, l'huile de piment rouge et le poivre de Sichuan, le gingembre, les oignons et l'ail, très largement utilisés dans cette province, donnent des plats richement parfumés, épicés et même très pimentés.

## *La cuisine du Nord : Pékin*

Pékin n'est pas seulement la capitale de la Chine, c'est aussi le centre de la cuisine chinoise, grâce aux chefs de toutes les provinces du pays, qui, depuis des siècles, sont venus y faire leurs preuves, apportant avec eux les spécialités de leur région, et conférant ainsi à la cuisine pékinoise une très grande variété.

Le plat le plus connu est le canard laqué de Pékin, délicieux morceaux de canard croustillants servis dans des crêpes mandarin à la vapeur, avec une sauce d'huîtres et de la ciboule. Plat élaboré qui rappelle les fastes de la cour impériale de Chine autrefois installée dans la ville. Vous trouverez page 92 la recette de ce merveilleux plat.

Cette région est également connue pour ses plats à l'aigre-douce.

Pékin est situé dans le nord de la Chine, où le climat est parfois très rude. On ne trouve des légumes frais que pendant une partie de l'année et les paysans ont appris à conserver les aliments tout au long de l'hiver glacial. Les légumes qui se gardent bien, les pommes de terre, les navets et les choux sont largement utilisés et les ingrédients séchés ou en conserve, champignons séchés ou fruits et légumes au vinaigre sont aussi très populaires.

Les saveurs sont fortes, en raison de l'usage très répandu de l'ail, du poireau, de l'oignon, des graines et de l'huile de sésame, et de la pâte sucrée aux haricots noirs.

Le riz mais aussi les autres céréales sont des aliments de base : les habitants du Nord consomment beaucoup de blé, de maïs et de millet sous forme de pain, de nouilles, de boulettes et de crêpes.

## *Le placard à provisions*

Les ingrédients nécessaires à la cuisine chinoise se trouvent déjà en grande partie dans votre placard à provisions.

### *Riz*

Il existe de nombreuses sortes de riz, dont le riz à longs grains, à grains ronds et le riz gluant. Les Chinois n'utilisent pas de riz complet dont ils n'aiment pas la consistance.

Le plus populaire est le riz blanc à longs grains. Le riz gluant est un riz à grains moyens qui devient collant et sucré en cuisant. Il est largement utilisé dans la cuisson au four et pour les desserts. C'est un riz sans gluten.

### *Ail*

Pour la cuisine chinoise, l'ail est un condiment essentiel. Achetez de l'ail frais qui sera utilisé entier, haché ou écrasé et gardez-le dans un endroit sec et frais. L'ail ne doit pas être conservé au réfrigérateur où il risque de germer ou de moisir.

### *Huiles*

L'huile est couramment employée pour la cuisson. L'arachide, à la saveur peu prononcée, est parfaite pour les sautés et les fritures. L'huile de carthame et de tournesol conviennent également.

L'huile de sésame, au goût de noix, est souvent utilisée dans la cuisine chinoise. Attention cependant, elle a tendance à brûler facilement et on la réserve d'habitude aux assaisonnements. Elle est souvent ajoutée en dernier, comme touche finale, pour parfumer le plat.

### *Ingrédients spécifiques*

Une authentique cuisine chinoise ne saurait se passer de certains ingrédients qui lui donnent sa saveur et sa couleur spécifiques. On les trouve facilement dans les supermarchés et les épiceries chinoises. La plupart des grandes villes ont un quartier chinois avec ses boutiques colorées et ses restaurants. Promenez-vous dans ces rues et appréciez la diversité de cette culture. La cuisine chinoise est si populaire en Occident que les supermarchés et les marchés de plein air vous proposent également une large gamme d'ingrédients orientaux de base.

### *Préparation des aliments*

La cuisine chinoise accorde plus d'importance à la préparation qu'à la cuisson. Si le temps de cuisson est relativement court, il est beaucoup plus long de hacher, couper en dés ou en lamelles les aliments.

### *Méthodes de cuisson*

Ce sont les méthodes habituelles : cuisson à la sauteuse ou au wok, cuisson à la vapeur et braisage.

### *Cuisson à la sauteuse ou au wok*

Les aliments sont simplement sautés à feu vif, dans une petite quantité d'huile : il faut les remuer constamment pour qu'ils dorent et cuisent très rapidement, tout en gardant saveur, consistance et couleur, trois éléments qui assurent le succès d'un plat sauté. Le secret est simple, il suffit de préparer tous les ingrédients avant même de commencer la cuisson, qui

ne prendra que quelques minutes, les aliments ne devant jamais être trop cuits ou trop gras.

### *Cuisson à la vapeur*

Cette méthode de cuisson très saine permet, là encore, de conserver saveur, couleur et consistance. Elle convient particulièrement bien aux aliments délicats, comme le poisson ou les légumes.

### *« Braisage-rouge » à la sauce de soja*

Cette méthode de cuisson est propre à la cuisine chinoise. Les ingrédients sont cuits dans un mélange de sauce de soja, d'eau et de sucre, complété par des condiments variés, gingembre, ciboule et vin de riz. Les aliments prennent une couleur rouge pendant la cuisson, d'où son nom. Ce type de cuisson convient bien aux viandes fermes et à certains légumes longs à cuire.

## *Le repas chinois*

Le repas chinois se passe simplement, dans une atmosphère plaisante et décontractée. Le repas de type occidental, avec son entrée, son plat principal et son dessert, est remplacé par un choix de plats variés apportés en même temps sur la table. Rien cependant n'est laissé au hasard, les plats étant très soigneusement choisis pour se compléter, de façon à obtenir un équilibre et une harmonie parfaites.

*« Les plats de la région de Sichuan sont richement parfumés, épicés et même très pimentés. »*

Les contrastes de goût, consistance et couleur sont très importants. Chaque convive dispose d'un bol, de baguettes et parfois d'une cuillère en porcelaine décorée pour la soupe, chacun se servant soi-même.

L'un des grands avantages de ce système est l'économie de vaisselle, le même bol étant utilisé pour tout le repas. Si vous désirez servir du vin avec le repas, prenez des vins légers et fruités, rouges ou blancs. Vous pouvez aussi servir du thé, le thé au jasmin étant le plus populaire. Une jolie théière orientale, que vous trouverez facilement dans les boutiques chinoises, apportera une note exotique.

## *Le wok*

Le wok, avec sa base arrondie et ses côtés inclinés, remplace avantageusement la poêle ou la sauteuse, la chaleur se répartissant uniformément sur toute la surface. Les aliments cuisent plus rapidement et la profondeur du wok permet de les remuer facilement.

Choisissez un wok grand et profond, en acier ordinaire plutôt qu'inoxydable, car ce dernier a tendance à attacher et à brûler. Il existe aussi des woks à revêtement anti-adhésif mais ils sont plus chers et on ne peut pas les imprégner (voir plus bas), ce qui change le goût des aliments. Pour imprégner un wok neuf, commencez par le nettoyer pour retirer la graisse puis séchez-le et posez-le sur feu doux. Versez 2 cuil. à soupe d'huile et frottez toute la surface avec du papier absorbant. Faites chauffer doucement le wok pendant 10-15 min puis essuyez avec du papier propre. Répétez l'opération jusqu'à ce que le papier absorbant reste complètement propre.

Le wok ne devra plus être récuré par la suite : contentez-vous de le laver à l'eau chaude puis faites-le sécher en le posant quelques minutes sur feu doux, avant de le ranger. Vous éviterez ainsi qu'il ne rouille.

Les accessoires suivants sont utiles :
• Un support, sorte de cercle en métal qui stabilise le wok sur le feu et qui est indispensable si vous l'utilisez pour la cuisson à la vapeur, la friture ou le braisage.
• Un couvercle en forme de dôme est absolument essentiel pour la cuisson à la vapeur. Vous pouvez bien entendu le remplacer par un couvercle ordinaire à condition qu'il ferme hermétiquement, ou encore par du papier d'aluminium.
• Une raclette en bambou, sorte de pinceau raide en bambou fendu qui permet de nettoyer le wok, sans éponge métallique.

## *Recettes de bouillon frais*

Pour plus de commodité, nous avons préféré réunir ici les recettes de base utilisées tout au long du livre.

Faire un bon bouillon avec quelques ingrédients est facile et peu coûteux. Le bouillon frais et bien parfumé est nettement supérieur aux cubes que l'on trouve dans le commerce. Vous trouverez chez le boucher ou le poissonnier, les os pour le bouillon de bœuf ou les parures de poisson pour le fumet de poisson.

Après refroidissement, le bouillon peut être congelé dans des petites boîtes en plastique ou sous forme de glaçons. Quand ceux-ci sont pris, mettez-les dans un sac en plastique pour faciliter le rangement.

Pour faire un bon bouillon, suivez ces règles indispensables :
• Le bouillon doit toujours frémir très doucement pour ne pas devenir trouble et s'évaporer trop rapidement.
• N'ajoutez jamais de sel. Le bouillon réduit à la cuisson et risque alors d'être trop salé, ce qui nuirait au goût de votre plat.
• L'écume qui remonte en surface doit être retirée pour ne pas gâcher l'aspect et le goût du bouillon.
• Évitez les légumes farineux qui troubleraient le bouillon.

### *Bouillon de bœuf*

• Mettez 2,5 kg d'os de bœuf ou de bœuf et de veau dans un plat à rôtir et faites cuire pendant 1 h au four préchauffé à 230 °C/th. 7, ou jusqu'à ce qu'ils soient dorés et que la graisse ait fondu. À l'aide d'une écumoire, retirez les os et mettez-les dans un grand faitout.
• Posez le plat à rôtir sur le feu, ajoutez 2 oignons, 2 carottes et 2 branches de céleri grossièrement hachées. Faites-les dorer doucement dans la graisse des os. Ajoutez ensuite les légumes dans le faitout, avec 2 feuilles de laurier, quelques tiges de persil, 2 brins de thym, 10 grains de poivre et couvrez avec 4,5 l d'eau froide.
• Portez à ébullition, écumez, baissez le feu et laissez frémir, sans couvercle, pendant 8 h, en écumant de temps à autre. Passez, laissez refroidir et mettez au frais. Retirez la graisse figée.

Pour 2,5 l de bouillon environ
Temps de préparation : 5-10 min
Temps de cuisson : 9 h environ

*Bouillon de volaille*

Le bouillon de volaille étant très utilisé dans la cuisine chinoise, une bonne recette est indispensable. Celle-ci donne un bouillon léger, délicatement parfumé sans être trop corsé.

• Découpez une carcasse de poulet cuit en 3 ou 4 morceaux que vous placerez dans un grand faitout avec les abats, 1 oignon, 2 grosses carottes et 1 branche de céleri, le tout haché, 1 feuille de laurier, quelques tiges de persil écrasées, 1 brin de thym. Couvrez avec 2 l d'eau froide.

• Portez à ébullition, écumez. Baissez le feu et laissez frémir pendant 2 h-2 h 30. Passez le bouillon dans une passoire doublée d'une mousseline et laissez refroidir complètement avant de mettre au frais.

Pour 1 l ¼ de bouillon
Temps de préparation : 5-10 min
Temps de cuisson : 2 h 30 environ

*Fumet de poisson*

Les parures de poisson ne doivent pas provenir de poissons gras et la préparation ne doit pas bouillir afin de rester limpide.

• Mettez dans un grand faitout 1,5 kg de parures de poisson, 1 oignon émincé, le blanc de 1 petit poireau, 1 branche de céleri, 1 feuille de laurier, 6 tiges de persil, 10 grains de poivre et 50 cl de vin blanc sec, puis couvrez avec 2 l d'eau froide. Portez lentement jusqu'au point d'ébullition mais sans faire bouillir. Laissez frémir pendant 20 min, en écumant soigneusement. Passez le bouillon dans une passoire doublée d'une mousseline et laissez refroidir avant de mettre au frais.

Pour 2 l de bouillon
Temps de préparation : 10 min
Temps de cuisson : 20 min

*Bouillon de légumes*

Cette recette est celle d'un bouillon de légumes très parfumé. Vous pouvez l'adapter à votre goût, en choisissant d'autres ingrédients, ou encore en employant les légumes de saison. Vous pouvez ajouter du fenouil par exemple, pour conférer un petit goût anisé, ou un peu de zeste d'orange pour une note plus originale. Les tomates donnent un bouillon riche en goût et en couleur. Évitez les légumes farineux qui troublent le bouillon.

• Dans une casserole, mettez 500 g de légumes divers hachés, tels que carottes, poireaux, céleri, oignons et champignons, en quantité égale ; 1 gousse d'ail, 6 grains de poivre, 1 bouquet garni (2 brins de persil, 2 brins de thym et 1 feuille de laurier), puis couvrez avec 1,5 l d'eau. Portez à ébullition et laissez frémir doucement pendant 30-40 min, en écumant de temps à autre. Passez et laissez refroidir complètement avant de mettre au frais.

Pour 1 l de bouillon
Temps de préparation : 5-10 min
Temps de cuisson : 45 min environ

# Ustensiles de cuisine

*La bonne cuisine ne dépend ni de la taille ni du prix d'un plat. Un morceau de céleri ou de chou salé peut être transformé, grâce à l'art culinaire, en un merveilleux régal. Mais si le cuisinier ne possède pas cet art, les ingrédients les plus rares et les plus délicats issus de la terre et de la mer ne lui serviront en rien.*

*Yuan Mei, poète chinois du* XVIII^e^ *siècle.*

Les ustensiles de la cuisine chinoise sont relativement simples. L'accent est mis sur la préparation des aliments plus que sur la cuisson, souvent très courte. Certains ustensiles, comme les couteaux, prennent ainsi une grande importance.

### *Cuit-vapeur en bambou*

Les Chinois furent probablement les premiers à découvrir les bienfaits de la cuisine à la vapeur. Ce type de cuisson permet de maintenir la valeur nutritive des aliments et de réduire les pertes en vitamines, tout en conservant couleur et consistance. Plusieurs étages peuvent être empilés sur la même casserole d'eau bouillante et le cuit-vapeur peut également être associé au wok.

### *Spatule*

La spatule possède une lame flexible et non tranchante insérée dans un manche. Elle est utile pour mélanger les aliments dans le wok, et les faire sauter à l'huile. Elle est en acier inoxydable ou en plastique.

### *Baguettes*

Des milliers d'années avant que l'Occident ne découvre les couteaux et les fourchettes, les Chinois mangeaient déjà avec des baguettes. Celles-ci ont très peu changé depuis cette époque, bien qu'elles soient moins décorées. En bois, en plastique, en bambou ou en argent, les baguettes sont intimement liées à la cuisine chinoise. Les baguettes en ivoire ne sont plus guère employées aujourd'hui, en raison des lois sur la protection de la nature, mais il existe des baguettes en os, provenant d'espèces non protégées.

### *Couteaux*

Le cuisinier idéal se doit de posséder une série de bons couteaux de cuisine, surtout quand il s'agit de cuisine chinoise, les légumes et la viande devant être coupés de façon à ce qu'ils présentent exactement la bonne surface de cuisson. Les couteaux doivent être toujours bien entretenus, nettoyés, essuyés, et régulièrement affûtés.
**Couteau à trancher** : à large et lourde lame, parfaite pour hacher légumes et autres ingrédients, il convient également pour aplatir les minces tranches de viande et transférer les ingrédients de la planche à la casserole.
**Couteau à éplucher** : petit couteau pour parer les viandes et éplucher les légumes.

### *Écumoire*

Cuillère en métal, peu profonde et perforée, à long manche. Elle permet de retirer les aliments du wok, en laissant s'écouler le liquide ou la graisse.

### *Fouet*

Le fouet est indispensable pour mélanger les ingrédients et incorporer de l'air dans une pâte à frire ou autre mélange. Il existe des fouets de différentes formes et tailles, les petits servent pour les sauces mais le gros fouet ballon est le plus populaire et le plus courant. Très pratique, il permet de faire disparaître les grumeaux des sauces.

### *Louche*

La louche, peu profonde, permet d'ajouter du liquide dans le wok ou d'en retirer les aliments après cuisson. L'acier inoxydable est préférable, le bois ou le plastique pouvant brûler ou fondre.

### *Supports à baguettes*

Ces supports servent surtout dans les dîners chinois protocolaires et permettent de poser les baguettes, sans salir la table. Fabriqués en porcelaine, ils sont généralement décorés de motifs chinois tels que des poissons ou des dragons.

# POTAGES ET ENTRÉES

# Potage épicé
## *aux crevettes et aux champignons*

*Les légumes au vinaigre de Sichuan confèrent une saveur à la fois aigre et épicée à ce potage. Vous les trouverez dans les épiceries chinoises.*

4 champignons chinois séchés
2 branches de céleri
1 l de Bouillon de volaille (voir page 11)
200 g de crevettes, fraîches ou surgelées et décongelées
50 g de légumes confits au vinaigre de Sichuan, émincés
50 g de pousses de bambou en conserve, égouttées et ciselées
½ concombre
2 cuil. à soupe de xérès
2 cuil. à soupe de sauce de soja
1 cuil. à soupe de vinaigre de vin rouge
30 g de jambon, découpé en dés
1 ciboule, hachée grossièrement

◆ Faites tremper les champignons séchés pendant 15 min dans de l'eau chaude. Essorez, ôtez les tiges dures, émincez les chapeaux.

◆ Émincez en biais les branches de céleri.

◆ Portez le bouillon à ébullition, ajoutez les crevettes, les légumes au vinaigre, les pousses de bambou, les champignons et le céleri, laissez frémir pendant 5 min.

◆ Découpez le concombre en bâtonnets de 5 cm, ajoutez-le dans la casserole avec le xérès, la sauce de soja, le vinaigre et le jambon, puis laissez cuire pendant 1 min.

◆ Saupoudrez de ciboule hachée et servez aussitôt.

Pour 4 à 6 personnes
Temps de préparation : 20 min
Temps de cuisson : 6-8 min

# Consommé de poulet
## *aux travers de porc et aux crevettes*

*En Chine, cette soupe délicate cuit tout doucement, sans bouillir, sur un feu de charbon de bois, dans une marmite en terre traditionnelle.*

1 carcasse de poulet avec des restes de viande
750 g de travers de porc
500 g de jambon, bacon ou os de bœuf
2 l d'eau
2 cuil. à café de sel
2 cuil. à café de crevettes séchées (facultatif)

◆ Mettez tous les ingrédients dans un grand faitout à fond épais.

◆ Portez à ébullition, couvrez et laissez frémir pendant 1 h 45, en écumant souvent.

◆ Laissez refroidir puis dégraissez en surface.

Pour 6 personnes
Temps de préparation : 15 min
Temps de cuisson : 1 h 45-2 h 15

▶ *En Occident, cette cuisson douce peut se faire dans une cocotte épaisse sur feu très doux ou à four à peine chaud. Peu d'ingrédients sont ajoutés pour parfumer le bouillon, ce qui permet à chacun de l'assaisonner à son goût. Les aliments ainsi cuits sont souvent accompagnés de dips épicés pour en relever la fadeur, et sont parfois rapidement plongés dans la friture bouillante, juste avant de servir.*

# Soupe épicée au poulet *à l'ail, au curcuma et aux vermicelles de soja*

3 cuil. à soupe d'huile de tournesol
½ gros oignon, émincé finement
2 gousses d'ail, écrasées
1 cuil. à café de racine de gingembre frais hachée
½ cuil. à café de poivre noir du moulin
1 pincée de curcuma
200 g de poulet cuit, haché grossièrement
1 cuil. à soupe de sauce de soja claire
1 l de Bouillon de volaille (voir page 11)
1 poignée de vermicelles de soja, ramollis dans l'eau
75 g de germes de soja
ciboule hachée, pour décorer

◆ Faites chauffer l'huile dans une casserole moyenne et faites dorer l'oignon, l'ail et le gingembre, jusqu'à ce que l'oignon soit cuit.

◆ Ajoutez le poivre, le curcuma et le poulet puis mélangez pendant 30 s.

◆ Ajoutez la sauce de soja et le bouillon. Portez à ébullition. Rectifiez l'assaisonnement. Baissez un peu le feu et laissez cuire pendant 5 min.

◆ Égouttez les vermicelles. Répartissez-les dans 4 bols chauffés. Répartissez les germes de soja dans les bols et versez la soupe.

◆ Servez chaud, décoré de ciboule hachée.

Pour 4 personnes
Temps de préparation : 15-20 min
Temps de cuisson : 15 min

► *Les vermicelles chinois, faits avec de la farine de soja, doivent être trempés avant la cuisson, afin de les ramollir.*

# Potage au poulet, au maïs *et au poivron rouge*

1 l de Bouillon de volaille (voir page 11), avec un peu de poulet cuit, haché et réservé
350 g de maïs en grains
2 cuil. à café de Maïzena (facultatif)
1 cuil. à soupe d'eau (facultatif)
sel et poivre du moulin

**POUR DÉCORER**

ciboule hachée ou ½ poivron rouge, vidé, épépiné et coupé en lamelles

◆ Versez le bouillon dans une grande casserole et ajoutez 250 g de maïs.

◆ Portez à ébullition, salez et poivrez selon votre goût, couvrez et laissez frémir pendant 15 min.

◆ Mixez pour obtenir une purée lisse puis reversez le tout dans la casserole.

◆ Réchauffez la soupe. Si elle n'est pas assez épaisse, délayez la Maïzena dans l'eau, versez dans la casserole, portez à ébullition en remuant.

◆ Ajoutez le reste du maïs et le poulet réservé. Laissez frémir pendant 5 min.

◆ Rectifiez l'assaisonnement avant de servir et garnissez avec la ciboule hachée ou le poivron rouge, à votre goût.

Pour 4 personnes
Temps de préparation : 10 min
Temps de cuisson : 20-25 min

# Potage au poisson et au maïs

## *au gingembre et à la ciboule*

500 g de poisson blanc (morue ou dorade) en filets
1 cuil. à café de jus de gingembre, extrait de 1 racine de gingembre frais (voir note)
1 cuil. à café de xérès
1 bonne pincée de sel
1 l d'eau
1 boîte de 250 g de maïs égoutté
1 cuil. à café d'huile
1 ½ cuil. à café de Maïzena, diluée dans 1 cuil. à soupe d'eau
sel
1 ciboule hachée, pour décorer

♦ Mettez le poisson dans un plat peu profond allant au four avec le jus de gingembre, le xérès et une bonne pincée de sel.

♦ Laissez mariner pendant 10 min.

♦ Transférez le tout dans un cuit-vapeur et laissez cuire pendant 5-6 min. Retirez du feu et écrasez le poisson à la fourchette. Réservez.

♦ Versez l'eau dans une grande casserole et portez à ébullition. Ajoutez le maïs, l'huile et 1 cuil. à café de sel. Laissez frémir pendant 2 min.

♦ Ajoutez la Maïzena et laissez épaissir, en remuant.

♦ Ajoutez le poisson et faites cuire pendant 1 min. Versez dans les bols, saupoudrez de ciboule et servez chaud.

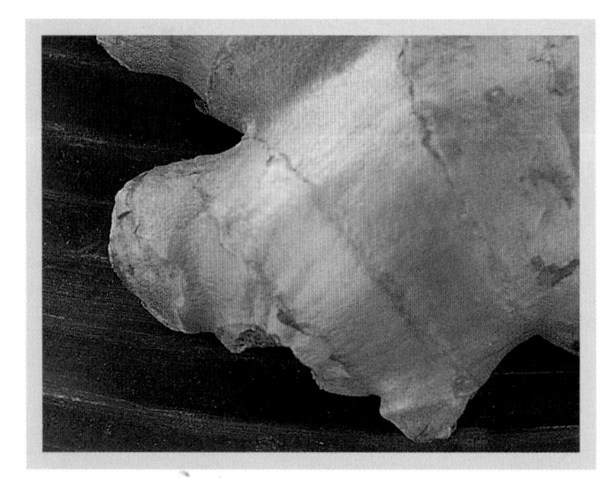

Pour 4 à 6 personnes
Temps de préparation : 15 min, plus 10 min de macération
Temps de cuisson : environ 15-20 min

► *Vous obtiendrez du jus de gingembre en écrasant des petits morceaux de racine de gingembre avec un presse-ail.*

# Soupe de poisson
## *aux feuilles de coriandre*

*Les feuilles de coriandre odorantes apportent leur saveur puissante à cette soupe de poisson merveilleusement parfumée.*

250 à 375 g de filets de poisson (sole, flétan, morue, dorade, loup ou carpe), découpés en morceaux de 4 × 6 cm
1 cuil. à café de sel
1 cuil. à soupe de Maïzena
1 l de Bouillon de volaille (voir page 11)
2 rondelles de racine de gingembre, détaillées en filaments
1 blanc d'œuf, légèrement battu
3 cuil. à soupe de vinaigre de vin rouge
½ cuil. à café de poivre du moulin
1 ½ cuil. à soupe de feuilles de coriandre, hachées

◆ Enrobez les morceaux de poisson de sel et de Maïzena.

◆ Portez le bouillon à ébullition dans une casserole. Ajoutez le gingembre, goûtez et ajoutez du sel, si nécessaire.

◆ Trempez les morceaux de poisson dans le blanc d'œuf battu et mettez-les dans le bouillon, petit à petit.

◆ Portez de nouveau le bouillon à ébullition puis baissez le feu et laissez frémir pendant 5 min, jusqu'à ce que le poisson soit cuit.

◆ Arrosez de vinaigre, saupoudrez de poivre et de coriandre. Remuez puis versez dans la soupière. Servez chaud.

---

Pour 4 personnes
Temps de préparation : 20 min
Temps de cuisson : 20-30 min

---

► *Le bouillon maison peu assaisonné, qui donne un parfum délicat à cette soupe, est nettement supérieur en qualité au bouillon en cubes.*

# Soupe épicée aux crevettes et aux calamars

*Cette délicieuse soupe forme une entrée parfaite, chaleureuse et épicée, véritable concentré de parfums de citronnelle, de piment et de coriandre.*

250 g de calamars, nettoyés
2 l de Bouillon de volaille (voir page 11)
3 feuilles de citron vert
1 tige de citronnelle, écrasée
250 g de crevettes crues, décortiquées
nam pla, selon votre goût
2 à 4 piments frais, épépinés et coupés en rondelles
2 gousses d'ail, écrasées
le jus de 1 citron vert ou de 1 citron jaune
feuilles de coriandre, fraîchement hachées, pour décorer

◆ Préparez les calamars : maintenez tête et tentacules d'une main et, de l'autre, arrachez le corps. Ôtez la poche à encre. Coupez les tentacules. Grattez la fine membrane qui recouvre le corps et les tentacules. Rincez bien et séchez. Découpez la chair en rondelles.

◆ Portez à ébullition le bouillon, les feuilles de citron vert et la citronnelle. Laissez frémir pendant 5 min. Ajoutez les crevettes, les calamars et le nam pla. Faites cuire le tout jusqu'à ce que les crevettes soient roses. Ajoutez les piments.

◆ Versez dans 4 bols individuels chauffés. Mélangez l'ail et le jus de citron et versez dans la soupe en remuant. Saupoudrez de coriandre et servez chaud.

---

Pour 4 à 6 personnes
Temps de préparation : 15 min,
plus 10 min de macération
Temps de cuisson : environ 15-20 min

---

► *Le nam pla est un mélange de poisson fermenté, salé et épicé, que vous trouverez dans les boutiques de produits asiatiques.*

# Œufs en porte-monnaie
## *à la coriandre fraîche*

*Les œufs ainsi préparés ressemblent à des petites bourses emplies de pièces d'or.*

6 cuil. à soupe d'huile de tournesol
8 œufs
sel et poivre du moulin
3 cuil. à soupe de sauce de soja claire
2 cuil. à soupe de vinaigre de vin blanc
4 cuil. à soupe de coriandre ou de persil haché (facultatif)

◆ Faites chauffer 2 cuil. à soupe d'huile dans une sauteuse sur feu modéré. Cassez 1 œuf, en essayant de mettre le jaune sur un des côtés du blanc.

◆ Salez et poivrez. Laissez cuire jusqu'à ce que le dessous soit pris. Repliez le blanc d'un côté pour recouvrir le jaune.

◆ Augmentez le feu et laissez cuire, le dessous doit être doré. Retournez l'œuf avec précaution pour dorer l'autre côté.

◆ Transférez l'œuf sur un plat de service chauffé et gardez au chaud.

◆ Procédez de même pour le reste des œufs.

◆ Mélangez la sauce de soja et le vinaigre et arrosez les œufs. Saupoudrez d'herbes hachées (facultatif) et servez avec des légumes poêlés de votre choix.

Pour 4 personnes
Temps de préparation : 5 min
Temps de cuisson : 15-20 min

# Poivrons verts
## *farcis au porc et au gingembre*

1 cuil. à soupe d'huile de tournesol
1 gousse d'ail, écrasée
1 morceau de racine de gingembre frais, pelé et finement haché
250 g de porc maigre, haché
1 ciboule, hachée
1 branche de céleri, finement hachée
le zeste râpé de 1 citron
4 poivrons verts

◆ Faites chauffer l'huile dans un wok ou une sauteuse sur feu modéré. Ajoutez l'ail et faites-le dorer.

◆ Baissez le feu et ajoutez le gingembre et le porc. Faites cuire pendant 2 min en remuant.

◆ Ajoutez la ciboule, le céleri et le zeste de citron. Mélangez et faites sauter pendant 30 s. Laissez légèrement refroidir.

◆ Coupez les poivrons en quartiers, retirez cœur et graines.

◆ Répartissez le mélange dans les poivrons, en tassant bien.

◆ Disposez les poivrons dans un plat huilé allant au four. Faites cuire pendant 25 min, dans le four préchauffé à 200 °C/th. 6.

◆ Transférez dans un plat de service chauffé et servez aussitôt.

Pour 4 à 6 personnes
Temps de préparation : 15 min
Temps de cuisson : 30-35 min
Température du four : 200 °C/th. 6

► *Si votre wok est neuf, commencez par retirer le film graisseux qui le protège. Faites-le chauffer puis nettoyez-le à l'eau chaude savonneuse. Rincez et séchez à feu doux. Imprégnez le wok en le frottant avec un tampon de papier absorbant trempé dans l'huile. Lavez à l'eau claire après chaque usage.*

# POISSONS ET FRUITS DE MER

# Coquilles Saint-Jacques
## *et crevettes roses poêlées*

- 4 à 6 coquilles Saint-Jacques fraîches
- 125 à 175 g de queues de crevettes roses crues, fraîches ou décongelées
- 1 blanc d'œuf
- 1 cuil. à soupe de Maïzena
- 3 branches de céleri, épluchées
- 1 poivron rouge, vidé et épépiné
- 1 ou 2 carottes, pelées
- 2 tranches de racine de gingembre frais, pelées
- 2 ou 3 ciboules
- 60 cl d'huile végétale pour friture
- 2 cuil. à soupe de xérès sec
- 1 cuil. à soupe de sauce de soja claire
- 2 cuil. à café de pâte de piment (facultatif)
- 1 cuil. à café de sel
- 1 cuil. à café d'huile de sésame, pour terminer le plat

◆ Découpez les noix de Saint-Jacques en 3 ou 4 morceaux. Décortiquez les crevettes et retirez le filament noir. Si elles sont petites, laissez-les entières ; sinon découpez-les en 2 ou 3 morceaux. Mettez le tout dans un bol avec le blanc d'œuf et la moitié de la Maïzena. Mélangez.

◆ Coupez le céleri, le poivron et les carottes en petits morceaux. Détaillez le gingembre et les ciboules en filaments.

◆ Faites chauffer l'huile dans un wok et faites frire les noix et les crevettes pendant 1 min, en remuant constamment avec des baguettes pour les séparer. Retirez-les avec l'écumoire et égouttez-les sur du papier absorbant.

◆ Retirez l'huile du wok en en conservant seulement 2 cuil. à soupe. Augmentez le feu et ajoutez le gingembre et les ciboules. Ajoutez les légumes et faites sauter en remuant pendant 1 min, puis remettez les noix de Saint-Jacques et les crevettes dans le wok et incorporez le xérès, la sauce de soja et la pâte de piment. Salez.

◆ Mélangez le reste de la Maïzena avec un peu de bouillon ou d'eau et ajoutez le tout dans le wok. Laissez épaissir. Arrosez d'huile de sésame et servez aussitôt.

Pour 4 à 6 personnes
Temps de préparation : 20-25 min
Temps de cuisson : 6-8 min

# Crevettes de Sichuan

## *et sauce tomate au piment*

*Plat sichuan typique, épicé, pimenté et richement parfumé.*

250 g de crevettes roses crues, décortiquées
1 pincée de sel
1 blanc d'œuf
2 cuil. à café de Maïzena
huile de tournesol pour friture
1 ciboule, finement hachée
2 morceaux de racine de gingembre frais, pelés et finement hachés
1 gousse d'ail, finement hachée
1 cuil. à soupe de xérès sec
1 cuil. à soupe de purée de tomate
1 cuil. à soupe de sauce au piment
feuilles de laitue
sel

◆ Mélangez les crevettes avec 1 pincée de sel, ajoutez le blanc d'œuf et poudrez de Maïzena.

◆ Faites chauffer l'huile dans un wok. Ajoutez les crevettes en remuant pour les empêcher de coller, faites-les cuire pendant 30 s à feu modéré.

◆ Retirez du wok et égouttez.

◆ Retirez l'huile du wok mais laissez-en 1 cuil. à soupe. Faites sauter à feu vif la ciboule, le gingembre et l'ail pendant quelques secondes.

◆ Ajoutez les crevettes et faites cuire pendant 1 min en remuant. Ajoutez le xérès, la purée de tomate et la sauce au piment, en mélangeant bien.

◆ Tapissez un plat avec les feuilles de laitue et versez les crevettes en sauce au milieu. Servez aussitôt.

Pour 4 personnes
Temps de préparation : 20-25 min
Temps de cuisson : 5 min

# Délice de langoustines

## *légères et croustillantes*

8 langoustines ou gambas
1 cuil. à soupe de xérès sec
1 œuf battu
1 cuil. à soupe de Maïzena
huile pour friture
1 brin de coriandre (facultatif)

◆ Maintenez fermement les langoustines par la queue, retirez la carapace, en laissant la queue intacte.

◆ Incisez les langoustines sur toute la longueur du dos et ôtez le boyau noir.

◆ Aplatissez les langoustines avec un maillet en bois pour les faire ressembler à des côtelettes. Arrosez de xérès.

◆ Trempez les côtelettes dans l'œuf battu puis dans la Maïzena et répétez l'opération. Faites chauffer l'huile à 180 °C.

◆ Faites frire les langoustines pendant 2 ou 3 min. Égouttez-les soigneusement sur du papier absorbant.

◆ Disposez sur un plat de service et garnissez de coriandre fraîche (facultatif). Servez nature ou avec de la purée de soja sucrée.

Pour 2 personnes
Temps de préparation : 20 min
Temps de cuisson : 2-3 min

# Œufs brouillés
## *aux crevettes et aux germes de soja*

*Les germes de soja croustillants ajoutent leur consistance croquante au moelleux des œufs et à la fraîcheur des crevettes.*

8 œufs
3 cuil. à soupe de sauce de soja
4 cuil. à soupe d'huile
2 oignons moyens, finement émincés
1 gousse d'ail, finement hachée
150 g de pousses de soja
150 g de crevettes, décortiquées
1 ciboule hachée, pour décorer

◆ Battez les œufs avec la sauce de soja.

◆ Faites chauffer l'huile à feu vif dans un wok ou une sauteuse.

◆ Ajoutez les oignons, l'ail et les germes de soja et faites sauter pendant 1 min en remuant.

◆ Ajoutez les œufs et les crevettes puis mélangez. Faites cuire en remuant constamment, pour obtenir des œufs brouillés. Décorez avec la ciboule hachée.

---

Pour 4 personnes
Temps de préparation : 10 min
Temps de cuisson : 5-6 min

---

▶ *Les germes de soja existent en conserve mais il vaut mieux les utiliser frais. Vous en trouverez facilement dans les supermarchés. Vous pouvez faire germer vous-même des haricots de soja (mungo) dans un pot de confiture. Couvrez avec une mousseline maintenue par un élastique. Rincez les haricots 2 ou 3 fois par jour jusqu'à ce que les germes soient assez longs.*

# Sauté de crabe
## *au gingembre et à la ciboule*

*Le crabe frais est un ingrédient populaire dans la cuisine chinoise. Si vous ne savez pas le préparer, demandez à votre poissonnier de le faire pour vous.*

1 crabe cuit de 1 kg
2 cuil. à soupe de xérès sec
1 cuil. à soupe de Bouillon de volaille (voir page 11) ou d'eau
2 cuil. à soupe de Maïzena
4 tranches de racine de gingembre frais, pelées et finement hachées
4 ciboules, découpées en tronçons
3 cuil. à soupe d'huile de tournesol
1 cuil. à café de sel
1 cuil. à soupe de sauce de soja claire
2 cuil. à café de sucre

◆ Passez le crabe sous l'eau et détachez les pattes et les pinces. Brisez la coque de chaque pince avec le plat d'un tranchoir.

◆ Brisez la carapace en 2 ou 3 morceaux. Ôtez la poche abdominale.

◆ Retirez la chair et mettez-la dans une bassine avec 1 cuil. à soupe de xérès, le bouillon ou l'eau et la Maïzena.

◆ Remuez une ou deux fois et laissez mariner pendant 10 min.

◆ Mélangez le gingembre et les ciboules.

◆ Faites chauffer l'huile dans un wok ou une sauteuse, ajoutez le crabe et faites-le sauter pendant 1 min.

◆ Ajoutez le gingembre et l'oignon, le sel, la sauce de soja, le sucre et le reste du xérès. Faites cuire pendant 5 min en remuant.

◆ Ajoutez un peu d'eau si le mélange est trop sec. Servez très chaud.

Pour 4 personnes
Temps de préparation : 25-30 min, plus 10 min de macération
Temps de cuisson : 6 min

# Crabe minute
## *frit dans l'huile parfumée à l'ail*

*La cuisson au wok étant très rapide, il vaut mieux parfumer l'huile de cuisson au préalable, avec de l'ail et du gingembre comme dans cette recette, ou avec du piment.*

1 crabe de 1 kg, fraîchement cuit
2 cuil. à soupe d'huile de tournesol
1 gousse d'ail, écrasée
2 morceaux de racine de gingembre, finement hachés
4 ciboules, hachées
1 poireau, finement émincé
sel
1 œuf, battu
15 cl de Fumet de poisson (voir page 11)
2 cuil. à soupe de xérès sec
2 cuil. à café de Maïzena diluée dans 1 cuil. à soupe d'eau
1 cuil. à café d'huile de sésame pour parfumer le plat
lamelles de zeste de citron

◆ Détachez les pattes et les pinces du crabe. Avec le dos du hachoir, brisez la carapace en 4 ou 5 morceaux.

◆ Retirez toute la chair et découpez-la en morceaux, en jetant la poche abdominale.

◆ Faites chauffer l'huile dans un wok ou une sauteuse, ajoutez l'ail, le gingembre et les ciboules et faites sauter pendant 1 min en remuant.

◆ Ajoutez le crabe et faites-le sauter à feu vif pendant 5 min. Ajoutez le poireau et salez selon votre goût.

◆ Baissez le feu et versez l'œuf en filet. Ajoutez le bouillon et le xérès et faites cuire pendant 1 min.

◆ Ajoutez la Maïzena et l'huile de sésame et laissez épaissir tout en remuant.

◆ Posez sur un plat de service chaud et servez aussitôt, décoré de lamelles de zeste de citron.

---

Pour 4 à 6 personnes
Temps de préparation : environ 20 min
Temps de cuisson : 7-10 min

---

# Sauté de poisson

## *au bacon et aux légumes*

*Pour cette recette, vous pouvez utiliser n'importe quel poisson blanc et ferme de bonne qualité : la morue non salée, le flétan en filet ou le colin conviennent parfaitement.*

500 g de filet de morue sans peau et découpé en larges lanières
1 cuil. à café de sel
1 cuil. à soupe d'huile
2 fines tranches de lard de poitrine, détaillées en filaments
50 g de petits pois cuits
50 g de maïs cuit
6 cuil. à soupe de Bouillon de volaille (voir page 11) ou d'eau
2 cuil. à café de xérès sec
2 cuil. à café de sauce de soja claire
1 cuil. à café de sucre
1 cuil. à café de Maïzena
1 cuil. à café d'eau

**POUR DÉCORER**

tranches de citron (facultatif)
brins de ciboule

◆ Saupoudrez de sel les filets de poisson et laissez reposer pendant 15 min.

◆ Faites chauffer l'huile dans un wok ou une sauteuse, sur feu modéré.

◆ Ajoutez le poisson et le lard et faites sauter pendant 3 min.

◆ Ajoutez le reste des ingrédients, sauf la Maïzena et l'eau et portez à ébullition.

◆ Délayez la Maïzena dans l'eau et versez le mélange obtenu dans la sauce. Mélangez et laissez cuire pendant 1 min.

◆ Servez chaud, décoré de tranches de citron (facultatif) et de brins de ciboule.

Pour 4 personnes
Temps de préparation : 5 min, plus 15 min d'attente
Temps de cuisson : 5-7 min

# Méli-mélo de fruits de mer *aux nouilles de riz et au gingembre*

4 champignons chinois séchés
500 g de nouilles de riz
2 cuil. à soupe d'huile
4 ciboules, hachées
2 gousses d'ail, émincées
1 morceau de racine de gingembre frais, pelé et finement haché
50 g de crevettes roses surgelées, décongelées et décortiquées
125 g de calamars frais ou surgelés, coupés en rondelles (facultatif)
1 bocal de 250 g de grosses moules, égouttées
2 cuil. à soupe de xérès sec
1 cuil. à café de sauce de soja
sel

◆ Faites tremper les champignons dans de l'eau chaude pendant 15 min. Essorez, ôtez les queues et émincez les chapeaux.

◆ Faites bouillir les nouilles de riz dans de l'eau salée pendant 7-8 min : elles doivent être tout juste cuites.

◆ Passez-les sous l'eau froide, égouttez et réservez.

◆ Faites chauffer l'huile dans un wok ou une sauteuse, ajoutez les ciboules, l'ail et le gingembre et faites sauter pendant 30 s.

◆ Ajoutez les champignons, les crevettes et les calamars (facultatif), puis laissez cuire pendant 2 min.

◆ Ajoutez le reste des ingrédients, mélangez, puis incorporez délicatement les nouilles et réchauffez.

◆ Versez sur un plat de service chauffé et servez aussitôt.

---

Pour 4 à 6 personnes
Temps de préparation : 10 min, plus 15 min de trempage
Temps de cuisson : 10-11 min

---

► *Les champignons chinois séchés, délicieusement parfumés, doivent être trempés pendant 15-20 min, avant leur utilisation. Vous les trouverez dans les épiceries chinoises mais vous pouvez les remplacer par des champignons séchés ordinaires.*

# Calamars frits

## *aux poivrons verts et au gingembre*

250 g de calamars
huile de tournesol pour friture
2 morceaux de racine de gingembre frais, pelés et finement hachés
150 g de poivron vert, épépiné et coupé en lamelles
1 cuil. à café de sel
1 cuil. à soupe de sauce de soja claire
1 cuil. à café de vinaigre de vin
poivre du moulin
1 cuil. à café d'huile de sésame

◆ Préparez les calamars : maintenez tête et tentacules d'une main et, de l'autre, arrachez le corps.

◆ Ôtez la poche à encre. Coupez les tentacules.

◆ Grattez la fine membrane qui recouvre le corps et les tentacules. Rincez bien et séchez. Découpez la chair en petits morceaux de 5 × 3 cm.

◆ Faites chauffer l'huile sur feu modéré dans un wok ou une sauteuse et faites frire le calamar pendant 30 s, en séparant les morceaux avec des baguettes pour les empêcher de se coller.

◆ Retirez l'huile du wok en en gardant 1 cuil. à soupe. Ajoutez le gingembre, le poivron vert et les calamars et faites sauter pendant 1 min.

◆ Ajoutez le sel, la sauce de soja, le vinaigre et le poivre et faites cuire pendant 1 min en remuant. Arrosez d'huile de sésame et servez chaud.

Pour 4 personnes
Temps de préparation : 20 min
Temps de cuisson : environ 5 min

► *Si vous ne voulez pas nettoyer vous-même les calamars, vous pouvez les acheter tout préparés chez le poissonnier ou au supermarché, ce qui est certainement plus pratique. Les petits calamars sont généralement plus tendres.*

# Sauté de jeunes calamars *aux fines herbes*

1 kg de jeunes calamars
sel et poivre du moulin
4 cuil. à soupe d'huile de tournesol
3 ou 4 gousses d'ail, émincées
2 cuil. à soupe de coriandre fraîchement hachée
1 cuil. à soupe de persil plat fraîchement haché
le jus de ½ citron et son zeste

◆ Préparez les calamars : maintenez la tête et les tentacules d'une main et, de l'autre, arrachez le corps.

◆ Ôtez la poche à encre. Coupez les tentacules.

◆ Grattez la fine membrane qui recouvre le corps et les tentacules. Rincez et séchez. Découpez la chair en tranches. Salez et poivrez.

◆ Faites chauffer l'huile dans un wok à feu doux. Ajoutez l'ail et faites brunir. Retirez l'ail avec une écumoire et jetez-le.

◆ Augmentez le feu. Quand l'huile est très chaude, ajoutez les calamars et faites-les sauter pendant 1 min, en remuant pour empêcher les morceaux de se coller.

◆ Ajoutez la coriandre, le persil et le jus de citron et laissez cuire pendant 30 s en remuant. Versez sur un plat de service chaud.

◆ Servez aussitôt, décoré de lamelles de zeste de citron et de feuilles de persil.

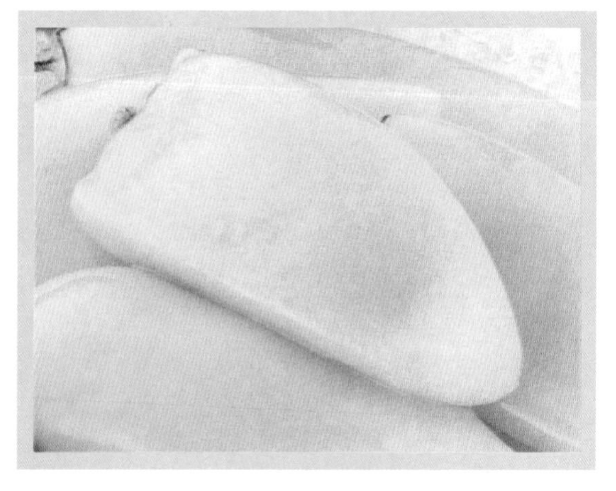

Pour 4 personnes
Temps de préparation : environ 10 min
Temps de cuisson : 2-4 min

► *La cuisson à la sauteuse est idéale pour le calamar qui doit être cuit rapidement pour ne pas durcir. Les jeunes calamars à chair tendre et délicate conviennent parfaitement.*

# Poisson braisé
## *aux légumes avec sauce aux haricots noirs*

*Voici une manière originale, colorée et parfumée, de préparer le poisson. Les haricots noirs font une délicieuse sauce et apportent une note de contraste.*

3 cuil. à soupe de haricots noirs chinois salés
2 cuil. à soupe d'huile
2 ciboules, hachées
1 morceau de racine de gingembre frais, pelé et haché
1 petit poivron rouge, vidé, épépiné et haché
2 branches de céleri, hachées
2 cuil. à soupe de sauce de soja claire
2 cuil. à soupe de xérès sec
4 darnes de morue fraîche ou de lieu, de 150 g chacune
ciboule ciselée, pour décorer

◆ Faites tremper les haricots noirs dans de l'eau chaude pendant 10 min. Égouttez.

◆ Faites chauffer l'huile dans un wok ou une sauteuse. Ajoutez les ciboules, le gingembre, le poivron rouge et le céleri et faites sauter pendant 1 min.

◆ Incorporez la sauce de soja et le xérès. Posez le poisson sur les légumes et laissez frémir pendant 5-10 min. Le poisson doit être presque cuit.

◆ Ajoutez les haricots noirs et laissez cuire pendant 2 min.

◆ Disposez le poisson sur un plat de service chaud et arrosez avec la sauce. Servez chaud, décoré de ciboule ciselée.

Pour 4 personnes
Temps de préparation : 20 min
Temps de cuisson : 10-15 min

► *Les haricots noirs fermentés sont très salés et très parfumés. Vendus sous pochette plastique ou en boîtes dans les épiceries chinoises, ils se gardent presque indéfiniment. Ils doivent toujours être trempés pendant 5-10 min avant leur cuisson.*

# Sole frite

## *aux herbes, sauce satay*

*La sole est chère mais sa saveur est incomparable. Vous pouvez cependant la remplacer par de la limande.*

1 cuil. à café de chacune de ces épices : graines de coriandre, de cumin et de fenouil, écrasées
2 gousses d'ail, écrasées
125 g de beurre de cacahuète
1 cuil. à café de sucre roux
2 piments verts frais, épépinés et hachés
150 g de lait de coco
½ l d'eau
3 cuil. à soupe de jus de citron
1 noix de beurre
1 échalote, finement hachée
1 cuil. à soupe de chacune de ces herbes : ciboulette, estragon et persil, hachés
le zeste râpé de ½ citron
8 filets de sole ou de limande
1 œuf battu
4 ou 5 cuil. à soupe de chapelure fraîche
huile de tournesol pour friture
feuille de coriandre fraîche, pour décorer

◆ Pour la sauce, faites dorer les épices dans un wok pendant 2 min. Ajoutez l'ail, le beurre de cacahuète, le sucre et les piments.

◆ Délayez le lait de coco avec l'eau, mélangez dans le wok. Laissez cuire pendant 7-8 min à petit feu. Ajoutez le jus de citron.

◆ Faites fondre le beurre dans une casserole, ajoutez l'échalote et faites dorer pendant 1 min. Ajoutez les herbes et le zeste de citron. Laissez tiédir.

◆ Répartissez ce mélange sur les filets. Roulez et maintenez le tout avec un pique-olive en bois.

◆ Trempez chaque filet dans l'œuf, enrobez de chapelure et faites frire dans l'huile très chaude pendant 4-5 min, pour bien les dorer.

◆ Égouttez et servez, décoré d'une feuille de coriandre, la sauce servie à part.

---

Pour 4 personnes
Temps de préparation : 35 min
Temps de cuisson : 15-20 min

---

► *La noix de coco en poudre délayée dans un peu d'eau peut remplacer le lait de coco qui se vend en blocs durs et doit être ramolli avec de l'eau bouillante (épiceries chinoises).*

# Truite arc-en-ciel
## *à la vapeur, parfumée aux herbes*

*Délicieuse truite, délicate et merveilleusement parfumée. La cuisson à la vapeur, très saine, conserve la saveur authentique des aliments.*

1 cuil. à soupe d'huile de sésame
1 cuil. à soupe de sauce de soja claire
1 cuil. à soupe de xérès sec
2 truites arc-en-ciel de 1 kg environ au total, vidées
4 gousses d'ail, émincées
6 ciboules, ciselées
1 morceau de racine de gingembre frais, pelé et détaillé en filaments
2 cuil. à soupe de vermouth blanc sec
2 cuil. à soupe d'huile de tournesol

◆ Mélangez l'huile de sésame, la sauce de soja et le xérès et badigeonnez l'intérieur et l'extérieur des poissons avec ce mélange.

◆ Mélangez l'ail, les ciboules et le gingembre et étalez un quart de cette préparation à l'intérieur de chaque truite.

◆ Mettez les poissons sur une assiette, parsemez le reste du mélange précédent, et arrosez de vermouth et d'huile.

◆ Posez l'assiette dans un cuit-vapeur et faites cuire à la vapeur pendant 15 min environ.

◆ Disposez les truites cuites sur un plat de service chaud, arrosez avec le jus de cuisson et servez aussitôt.

Pour 4 personnes
Temps de préparation : 10 min
Temps de cuisson : 15-20 min

► *Les cuit-vapeur chinois traditionnels en bambou sont aussi décoratifs que pratiques. Ils permettent la cuisson simultanée de plusieurs aliments. Vous les trouverez dans les supermarchés chinois.*

# Papillotes de poisson
## *frites au gingembre*

4 filets de sole ou de limande de 150 g chacun
1 pincée de sel
2 cuil. à soupe de xérès
1 cuil. à soupe d'huile végétale
2 cuil. à soupe de ciboule ciselée
2 cuil. à soupe de racine de gingembre frais hachée
de l'huile pour frire
pompons de ciboule, pour décorer

◆ Découpez les filets de poisson en carrés de 3 cm de côté. Saupoudrez-les de sel et trempez-les dans le xérès.

◆ Découpez des carrés de papier sulfurisé de 15 cm de côté et huilez-les légèrement avec un pinceau.

◆ Posez un carré de poisson sur chaque carré de papier et saupoudrez avec un peu de ciboule et de gingembre.

◆ Pliez le papier pour envelopper le poisson, en fermant bien chaque papillote.

◆ Faites chauffer l'huile à 180 °C dans un wok ou une casserole à hauts bords (un dé de pain rassis doit brunir en 30 s). Faites frire les papillotes pendant 3 min.

◆ Égouttez et disposez sur un plat de service chaud. Décorez avec des pompons de ciboule et servez aussitôt. Chaque convive ouvrira sa papillote avec ses baguettes.

Pour 4 personnes
Temps de préparation : 15 min
Temps de cuisson : 3-5 min

► *Les pompons de ciboule décorent souvent les plats chinois. Coupez un morceau de tige verte de 8 cm environ. Fendez plusieurs fois le haut du vert. Plongez dans l'eau glacée pour que les feuilles s'écartent et s'enroulent.*

# Steaks de poisson
## *avec sauce au soja et au gingembre*

*Choisissez pour ce plat un poisson blanc et ferme, qui se marie bien avec la sauce de soja épaisse et piquante.*

500 g de filet de poisson épais (morue, flétan, lotte ou colin)
½ cuil. à café de sel
2 cuil. à soupe de xérès
4 cuil. à soupe de Maïzena
1 blanc d'œuf légèrement battu
3 cuil. à soupe d'huile de tournesol
1 rondelle de racine de gingembre frais, pelée et hachée
2 cuil. à soupe de sauce de soja claire
2 cuil. à café de sucre
15 cl de Bouillon de volaille (voir page 11) ou d'eau
ciboule, pour décorer

◆ Découpez les filets de poisson en morceaux de 3 × 5 cm.

◆ Mélangez le sel, le xérès et 1 cuil. à soupe de Maïzena puis faites mariner le poisson pendant 30 min environ dans ce mélange.

◆ Enrobez les morceaux de poisson de blanc d'œuf puis de Maïzena.

◆ Faites chauffer l'huile dans un wok ou une sauteuse, faites frire les morceaux de poisson, en remuant bien.

◆ Ajoutez le gingembre, la sauce de soja, le sucre et le bouillon ou l'eau. Faites cuire pendant 3-4 min, le liquide doit être évaporé.

◆ Servez chaud, décoré de ciboule.

---

Pour 4 personnes
Temps de préparation : environ 15 min, plus 30 min de macération
Temps de cuisson : 15-20 min

---

► *Si vous enrobez le poisson de blanc d'œuf et de Maïzena au préalable, il ne se défera pas pendant la cuisson.*

# Épinards aux coques
## *avec sauce moutarde*

*Essayez cette méthode chinoise pour cuire les coques, une recette originale pour ce coquillage familier.*

1 cuil. à soupe de xérès sec
250 g de coques, nettoyées
3 cuil. à soupe de sauce de soja, plus 1 cuil. à café
1 cuil. à café de moutarde forte
500 g de jeunes feuilles d'épinard frais, lavées
sel
1 cuil. à soupe de graines de sésame, pour décorer

◆ Faites chauffer le xérès dans une petite casserole. Ajoutez les coques et laissez-les cuire pendant quelques minutes. Égouttez et réservez le liquide.

◆ Dans un bol, mélangez 3 cuil. à soupe de sauce de soja avec la moutarde, puis ajoutez les coques décoquillées.

◆ Faites blanchir les épinards pendant 30 s dans de l'eau bouillante légèrement salée. Égouttez puis plongez-les aussitôt dans l'eau glacée.

◆ Égouttez de nouveau les épinards et pressez-les dans vos mains pour les essorer. Arrosez-les avec 1 cuil. à café de sauce de soja.

◆ Ajoutez le liquide des coques. Disposez les épinards sur un plat de service.

◆ Mettez les coques au centre et décorez de graines de sésame. Servez aussitôt.

Pour 4 personnes
Temps de préparation : 15 min
Temps de cuisson : environ 5 min

► *L'oseille ou la roquette peuvent remplacer les épinards mais n'ont pas besoin d'être blanchies.*

# Sauces

*Sauce aux haricots jaunes*

La sauce aux haricots jaunes, faite avec des fèves jaunes de soja, est plus une purée qu'une sauce et son goût est celui de la sauce de soja. Vendue en bouteille, elle remplace parfois cette dernière. Comme elle est plus épaisse, elle donne une préparation plus riche. Vous la trouverez dans les épiceries et supermarchés chinois.

*Sauce aux haricots noirs*

Sauce noire épaisse faite avec des fèves noires de soja. Elle peut être servie nature, ou mélangée à des plats poêlés ou à du poisson. La sauce aux haricots noirs est facile à réaliser : mélangez du sucre, de l'ail et de la sauce de soja (quantités à votre goût) avec une boîte de haricots noirs salés, rincés au préalable.

*Sauce pimentée*

La sauce au piment est une sauce rouge, au goût épicé et pimenté, faite avec des piments rouges et utilisée avec tous les types de cuisine chinoise ou seule, comme dip. Elle est généralement employée avec parcimonie dans les plats, sauf dans la cuisine de Sichuan, renommée pour ses saveurs fortes et épicées.

*Sauce de soja claire*

La sauce de soja claire à la saveur délicate, légèrement salée, est nettement plus claire que la sauce de soja traditionnelle, dite épaisse. La couleur dépend de la durée d'affinage de la sauce. La sauce de soja est utilisée dans les plats de poisson, les soupes et pour les dips.

*Sauce hoisin*

L'hoisin est l'une des sauces chinoises les plus courantes. Utilisée pour les grillades et le barbecue mais également comme sauce de dip. Elle est faite avec des fèves de soja, de la purée de tomate et des épices.

# Épices

*Anis étoilé*

L'anis étoilé est la graine séchée, en forme d'étoile, d'une variété de magnolia, originaire de Chine méridionale. Cette jolie épice est très utilisée pour parfumer la cuisine chinoise, et son fort parfum d'anis agrémente divers plats de viande et de volaille. L'anis étoilé est l'un des constituants du cinq-épices en poudre.

*Piment en poudre*

La poudre de piment rouge foncé est utilisée dans les plats épicés pour sa saveur poivrée et piquante. Selon le type de piment, elle peut être plus ou moins forte, ce qu'il est prudent de vérifier en goûtant quelques grains. Il vaut mieux l'utiliser avec parcimonie, en l'ajoutant peu à peu au plat que l'on prépare.

*Poivre du Sichuan*

Connu aussi sous le nom de poivre chinois bien que ce ne soit pas du vrai poivre. Les grains piquants sont les baies séchées d'un arbuste chinois. Le poivre est très parfumé et possède une saveur forte, bien particulière. Les grains sont grillés avant d'être moulus. C'est l'un des ingrédients du cinq-épices.

*Cannelle*

Épice brun clair au fort parfum sucré. Fréquemment utilisée dans les soupes, les plats au four, les liqueurs et les huiles parfumées.

*Cinq-épices en poudre*

Mélange d'épices parfumé, ingrédient traditionnel de la cuisine chinoise. En fait cette poudre contient souvent plus de cinq épices mais les principaux constituants en sont l'anis étoilé, le poivre de Sichuan, la cannelle, les clous de girofle et les graines de fenouil.

*Clous de girofle*

Le clou de girofle parfumé, à la saveur fruitée légèrement amère, est originaire d'Indonésie et utilisé dans les plats sucrés et les plats salés.

# VOLAILLES

# Ailerons de poulet sucrés
## *braisés avec une sauce d'huîtres*

500 g d'ailerons de poulet
3 cuil. à soupe de sauce d'huîtres
1 cuil. à soupe de sauce de soja
30 cl de Bouillon de volaille (voir page 11)
1 pincée de sel
1 cuil. à café de sucre roux
1 cuil. à soupe de racine de gingembre finement hachée
1 pincée de poivre noir du moulin
1 cuil. à café de gros sel
1 ciboule en lamelles, pour décorer

◆ Mettez les ailerons de poulet dans une casserole, et couvrez-les d'eau.

◆ Portez à ébullition, couvrez et laissez frémir pendant 10 min.

◆ Égouttez et jetez l'eau.

◆ Remettez les ailerons dans la casserole et ajoutez la sauce d'huîtres, la sauce de soja, le bouillon, le sel et le sucre.

◆ Portez lentement à ébullition, couvrez et laissez frémir pendant 20 min.

◆ Saupoudrez de gingembre, de poivre et de gros sel. Servez chaud, décoré de fines lamelles de ciboule.

Pour 4 personnes
Temps de préparation : 10 min
Temps de cuisson : 30 min

▶ *La sauce d'huîtres est très utilisée pour parfumer volaille, viande et légumes, surtout dans le sud de la Chine. Obtenue à partir d'extrait d'huîtres, de sel et d'amidon, elle est vendue en bouteille. Vous la trouverez dans les épiceries chinoises.*

# Poulet sauté au citron
## *et aux légumes*

375 g d'escalopes de poulet sans peau
2 cuil. à soupe de xérès sec
4 ciboules, hachées
1 morceau de racine de gingembre frais, pelé et finement haché
2 cuil. à soupe d'huile de tournesol
1 ou 2 gousses d'ail, émincées
2 branches de céleri, émincées en biais
1 petit poivron vert, vidé, épépiné et émincé en biais
2 cuil. à soupe de sauce de soja claire
le jus de ½ citron
le zeste râpé de 2 citrons
¼ cuil. à café de piment en poudre

**POUR DÉCORER (FACULTATIF)**
tranches de citron
1 brin de persil

◆ Découpez le poulet en lanières de 7 cm de long. Mélangez le xérès avec les ciboules et le gingembre.

◆ Ajoutez le poulet et mélangez pour bien enrober les morceaux. Laissez mariner pendant 15 min.

◆ Faites chauffer l'huile dans un wok ou une sauteuse et ajoutez l'ail, le céleri et le poivron vert. Faites cuire pendant 1 min en remuant.

◆ Ajoutez le poulet et sa marinade et laissez cuire pendant encore 2 min.

◆ Incorporez la sauce de soja, le jus et le zeste de citron ainsi que le piment en poudre et laissez cuire pendant 1 min encore.

◆ Transférez sur un plat de service chaud et décorez avec des tranches de citron et un brin de persil frais (facultatif).

Pour 4 personnes
Temps de préparation : 5 min, plus 15 min de macération
Temps de cuisson : 4 min

# Poulet sauté
## *aux champignons shiitake*

25 g de champignons shiitake séchés
5 cuil. à soupe d'huile de tournesol
2 gousses d'ail, écrasées
250 g de blancs de poulet, découpés en lanières
50 g de mini-épis de maïs, blanchis
20 cl de Bouillon de volaille (voir page 11)
1 cuil. à soupe de nam pla
1 grosse pincée de sel
1 grosse pincée de sucre
½ cuil. à soupe de Maïzena
2 cuil. à soupe d'eau

◆ Faites tremper les champignons pendant 5 min dans de l'eau chaude, sous couvercle. Jetez les queues, coupez les chapeaux en quartiers.

◆ Faites chauffer l'huile dans un wok ou une sauteuse. Ajoutez l'ail et laissez dorer à feu modéré.

◆ Ajoutez le poulet et faites cuire pendant 10 min en remuant. Retirez du wok et réservez.

◆ Mettez les champignons et les épis de maïs dans l'huile restant dans le wok. Faites sauter pendant 1-2 min en remuant.

◆ Ajoutez le bouillon et portez à ébullition. Baissez le feu, remettez le poulet et assaisonnez avec le nam pla, le sel et le sucre.

◆ Laissez mijoter pendant 10 min, le poulet doit être cuit et le liquide réduit de moitié environ.

◆ Délayez la Maïzena avec l'eau, versez dans le mélange précédent. Laissez épaissir, en remuant constamment. Servez aussitôt.

Pour 4 personnes
Temps de préparation : 15 min,
plus 5 min de trempage
Temps de cuisson : 30 min

► *Vous trouverez les shiitake en petits paquets dans les épiceries orientales. Leur parfum étant très concentré, ils doivent être utilisés en petites quantités.*

# Ragoût de poulet

## *aux marrons et au gingembre*

*Les marrons se marient parfaitement avec le poulet, comme le montre cette succulente recette.*

6 cuil. à soupe de sauce de soja
1 cuil. à soupe de xérès sec
1 poulet de 1 kg, désossé et découpé en morceaux de 4 cm
2 cuil. à soupe d'huile
2 morceaux de racine de gingembre frais, pelés et hachés
4 ciboules, hachées
500 g de marrons épluchés et débarrassés de leur peau
½ l d'eau
1 cuil. à soupe de sucre

◆ Mélangez la sauce de soja et le xérès dans un plat et ajoutez le poulet. Laissez mariner pendant 15 min.

◆ Faites chauffer l'huile dans une sauteuse. Ajoutez le poulet, le gingembre et la moitié des ciboules. Faites sauter le poulet jusqu'à qu'il soit doré.

◆ Ajoutez les marrons, l'eau et le sucre. Portez à ébullition, couvrez et laissez mijoter pendant 40 min environ. Le poulet doit être cuit.

◆ Servez chaud, décoré du reste des ciboules.

---

Pour 3 à 4 personnes
Temps de préparation : 10 min, plus 15 min de macération
Temps de cuisson : 50 min-1 h

---

► *Si vous ne trouvez pas de marrons frais, prenez des marrons en conserve ou séchés. Les marrons en conserve seront égouttés et ajoutés au poulet 10 min avant la fin de la cuisson. Les marrons séchés doivent tremper toute la nuit dans de l'eau chaude puis être cuits comme des marrons frais.*

# Poulet braisé
## *aux poivrons rouges et au gingembre*

3 cuil. à soupe d'huile
3 poivrons rouges, vidés, épépinés et coupés en rondelles
1 cuil. à café de sel
2 cuil. à soupe d'eau
500 g de blancs de poulet, découpés en morceaux de 3 cm
25 g de racine de gingembre frais finement hachée
1 pincée de sucre roux
2 cuil. à café de xérès sec
1 cuil. à café de Maïzena
2 cuil. à soupe de sauce de soja

◆ Faites chauffer 1 cuil. à soupe d'huile dans une sauteuse. Ajoutez les poivrons et le sel.

◆ Faites sauter pendant 1 min en remuant, ajoutez l'eau et laissez frémir jusqu'à évaporation du liquide.

◆ Retirez les poivrons et réservez.

◆ Faites chauffer le reste de l'huile dans la sauteuse. Ajoutez le poulet et le gingembre, faites sauter pendant 1 min en remuant. Incorporez le sucre et le xérès.

◆ Délayez la Maïzena dans la sauce de soja et ajoutez le tout dans la sauteuse. Laissez épaissir en remuant.

◆ Ajoutez le poivron et laissez cuire pendant 1 min. Servez chaud.

Pour 4 personnes
Temps de préparation : 15 min
Temps de cuisson : 40 min

► *Dans la cuisine chinoise, on utilise souvent du gingembre finement haché. Pour le préparer, pelez la racine puis coupez bien droit chacune de ses extrémités. Posez le morceau debout et pratiquez une série d'entailles verticales avec un couteau aiguisé. Maintenez le tout et coupez de même dans l'autre sens, à angle droit pour obtenir de minuscules carrés.*

# Poulet à la vapeur *au chou chinois*

1 poulet de 1,5 kg
2 cuil. à café de sel
6 à 8 champignons shiitake
750 g de chou chinois
5 tranches de racine de gingembre frais, pelées
2 cubes de Bouillon de volaille
feuilles de coriandre, pour décorer

◆ Portez une grande casserole d'eau à ébullition. Ajoutez le sel et plongez le poulet dans l'eau. Écumez en surface et laissez bouillir pendant 5-6 min. Égouttez le poulet.

◆ Faites tremper les champignons dans l'eau bouillante pendant 20 min. Égouttez et jetez les queues. Coupez le chou en rondelles de 5 cm.

◆ Mettez les champignons et le gingembre dans un plat à soufflé. Posez le poulet sur les légumes, versez de l'eau jusqu'à ras bord. Couvrez hermétiquement avec du papier d'aluminium.

◆ Posez le plat dans une grande casserole et ajoutez de l'eau dans la casserole jusqu'à mi-hauteur du plat à soufflé.

◆ Portez l'eau à ébullition et laissez frémir pendant 1 h, en rajoutant de l'eau, si nécessaire.

◆ Retirez le poulet. Mettez le chou émincé dans le plat à soufflé et saupoudrez avec les cubes de bouillon émiettés.

◆ Remettez le poulet dans le plat. Couvrez de nouveau hermétiquement et laissez frémir pendant 1 h encore.

◆ Disposez sur un plat chaud et décorez de coriandre (facultatif).

Pour 4 à 6 personnes
Temps de préparation : 10 min
Temps de cuisson : 2 h 15-2 h 30

# Poulet aux noix de cajou *à l'ail et au gingembre*

*Ce plat classique est un bon exemple de la façon dont la cuisine chinoise sait marier harmonieusement les divers ingrédients d'une recette.*

400 g de blancs de poulet sans os
1 blanc d'œuf légèrement battu
4 cuil. à soupe de xérès
2 cuil. à café de Maïzena
3 cuil. à soupe d'huile de tournesol
4 ciboules, hachées
2 gousses d'ail, hachées
1 morceau de racine de gingembre frais, pelé et finement haché
1 cuil. à soupe de sauce de soja claire
120 g de noix de cajou non salées

◆ Découpez le poulet en dés de 1 cm. Mélangez le blanc d'œuf avec la moitié du xérès et la Maïzena.

◆ Ajoutez les dés de poulet et mélangez pour les enrober.

◆ Faites chauffer l'huile dans un wok. Ajoutez les ciboules, l'ail et le gingembre et faites dorer pendant 30 s en remuant.

◆ Ajoutez le poulet et laissez cuire pendant 2 min.

◆ Versez le reste du xérès et la sauce de soja. Mélangez.

◆ Ajoutez les noix de cajou et laissez cuire pendant 30 s. Servez aussitôt.

Pour 4 personnes
Temps de préparation : 5 min
Temps de cuisson : 3-4 min

► *Les noix de cajou sont très appréciées pour leur riche saveur sucrée. Comme les autres noix, elles accompagnent surtout les plats de poulet ou de légumes sautés. Très nutritives, elles contiennent des sels minéraux et des vitamines.*

# Poulet au gingembre
## *et aux champignons*

800 g d'escalopes de poulet, découpées en lanières de la longueur d'un doigt
1 cuil. à café de sucre
4 cuil. à soupe d'huile de sésame
1 morceau de 10 cm de racine de gingembre frais, pelé et finement haché
10 cl d'eau
125 g de petits champignons de Paris
2 cuil. à soupe de cognac
2 cuil. à café de Maïzena délayée dans 3 cuil. à soupe d'eau
1 cuil. à café de sauce de soja claire
sel et poivre du moulin

◆ Poudrez le poulet de sucre et laissez reposer pendant 20-30 min. Salez et poivrez.

◆ Faites chauffer l'huile et faites dorer le gingembre pendant 1 min.

◆ Ajoutez les morceaux de poulet et laissez cuire pendant 3 min.

◆ Ajoutez l'eau et les champignons. Couvrez et laissez cuire encore pendant 5 min, jusqu'à ce que le poulet soit cuit.

◆ Ajoutez le cognac, la Maïzena délayée et la sauce de soja. Portez à ébullition, tout en remuant, pour épaissir. Servez aussitôt.

---

Pour 4 personnes
Temps de préparation : 10 min, plus 20-30 min d'attente
Temps de cuisson : 10-15 min

---

► *Le gingembre frais se congèle très bien dans un petit sachet en plastique. Prenez la quantité indiquée puis remettez-le au congélateur. Vous pouvez aussi le conserver au réfrigérateur dans un bocal de xérès sec fermé hermétiquement. Le gingembre en poudre ne le remplace pas.*

# Poulet épicé
## *braisé au lait de coco*

2 cuil. à soupe d'huile
1 poulet de 1 kg, découpé en portions individuelles
1 cuil. à soupe de xérès sec
2 cuil. à soupe de sauce de soja
1 cuil. à café de sel
1 pincée de poivre du moulin
2 oignons, coupés en quartiers
3 ciboules, hachées
3 gousses d'ail, écrasées
2 cuil. à soupe de pâte de curry
2 cuil. à café de curry en poudre
30 cl d'eau
3 pommes de terre moyennes, découpées en morceaux de 3 cm
3 carottes moyennes découpées en tronçons de 3 cm
4 cuil. à soupe de lait de coco
2 cuil. à soupe de farine
2 cuil. à café de sucre
quelques lamelles de poivron vert, pour décorer

◆ Faites chauffer 1 cuil. à soupe d'huile dans une sauteuse. Ajoutez le poulet et faites-le dorer en remuant.

◆ Ajoutez le xérès, la sauce de soja, le sel et le poivre. Faites cuire pendant 2 s puis ajoutez les oignons. Faites dorer pendant 30 s puis versez le mélange dans une casserole.

◆ Faites chauffer le reste de l'huile dans la sauteuse. Ajoutez les ciboules et l'ail puis faites dorer pendant 1 s. Ajoutez la pâte de curry et le curry en poudre.

◆ Faites sauter pendant 30 s puis ajoutez l'eau. Versez cette sauce sur le poulet et ajoutez les pommes de terre et les carottes.

◆ Portez à ébullition, couvrez et laissez frémir pendant environ 20 min.

◆ Mélangez le lait de coco avec la farine et le sucre et incorporez le tout dans la casserole. Laissez épaissir, en tournant.

◆ Servez chaud, décoré de lamelles de poivron vert.

Pour 4 personnes
Temps de préparation : 15 min
Temps de cuisson : 30-40 min

► *Ce plat (et d'autres variantes), très populaire à Singapour, n'est pas réellement un classique de la cuisine chinoise. Vous pouvez ajouter quelques gouttes de Tabasco ou de harissa pour obtenir un plat plus pimenté.*

# Sauté de dinde
## *à la sauce aigre-douce*

*Ce plat d'escalopes de dinde, simple et rapide à réaliser, est servi avec une exquise sauce aigre-douce.*

**SAUCE**

1 ½ cuil. à soupe de sauce de soja claire
1 cuil. à soupe bien pleine de purée de tomate
2 cuil. à café de Maïzena
30 cl d'eau
3 cuil. à soupe de jus d'ananas non sucré
2 cuil. à soupe de vinaigre de vin
1 grosse cuil. à café de sucre roux

**SAUTÉ**

1 cuil. à soupe d'huile de tournesol
1 oignon, finement haché
1 escalope de dinde, découpée en dés
½ poivron jaune ou rouge, vidé, épépiné et coupé en rondelles
3 champignons, émincés
ciboule, pour décorer

◆ Pour la sauce, mélangez tous les ingrédients dans une petite casserole.

◆ Portez à ébullition et laissez épaissir, en remuant. Gardez au chaud.

◆ Faites chauffer l'huile dans un wok et faites sauter l'oignon pendant 2 min. Ajoutez la dinde et faites dorer pendant 2-3 min.

◆ Ajoutez le poivron et les champignons et faites cuire pendant 2-3 min.

◆ Versez sur un plat de service chaud et arrosez de sauce. Décorez avec de la ciboule et servez chaud.

Pour 4 personnes
Temps de préparation : 6 min
Temps de cuisson : 6-10 min

► *Une recette parfaite pour accommoder les escalopes de dinde, viande peu calorique et contenant peu de graisse, plus goûteuse que le poulet. La dinde, qui n'est plus réservée à la période de Noël, est devenue un plat courant.*

# Canard laqué de Pékin

*Ce plat, peut-être le plus célèbre de la cuisine chinoise, fut servi pour la première fois en 1864 au restaurant Chuan Chu Te, devenu depuis le restaurant Canard de Pékin !*

1 canard prêt à cuire de 2 kg à 2 kg 200
2 cuil. à soupe de sauce de soja
2 cuil. à soupe de sucre roux

**CRÊPES MANDARIN**

voir page 238

**POUR SERVIR**

1 petit concombre, découpé en lamelles de 5 cm
1 bouquet de ciboules découpées en lamelles de 5 cm
8 cuil. à soupe de sauce hoisin
pompons de ciboule (voir page 62)

◆ Plongez le canard dans une casserole remplie d'eau bouillante pendant 2 min et égouttez-le. Faites-le sécher toute la nuit dans une pièce aérée. Mélangez la sauce de soja et le sucre et enduisez le canard avec ce mélange.

◆ Suspendez le canard pendant 2 h jusqu'à ce que l'enrobage soit complètement sec. Placez le canard sur la grille du four au-dessus d'un plat et faites-le rôtir pendant 1 h 30 dans le four préchauffé à 200 °C/th. 6.

◆ Pendant ce temps, faites les crêpes (voir page 238) et tenez-les au chaud entre 2 assiettes posées sur une casserole d'eau bouillante.

◆ Retirez la peau croustillante du canard et disposez-la sur un plat chaud. Décorez avec le concombre.

◆ Découpez la viande et disposez-la sur un autre plat chaud. Décorez avec les ciboules. Servez la sauce hoisin en saucière. Décorez les crêpes avec des pompons de ciboule.

◆ Chaque convive prépare sa crêpe. Étalez un peu de sauce sur une crêpe. Ajoutez un morceau de peau, un autre de viande et un peu de concombre.

---

Pour 4 à 6 personnes
Temps de préparation : 1 h, plus une nuit et 2 h le lendemain pour faire sécher le canard
Temps de cuisson : 1 h 30
Température du four : 200 °C/th. 6

---

# Canard aux huit trésors
## *aux champignons shiitake et aux pousses de bambou*

1 caneton de 2 kg, prêt à cuire
2 cuil. à soupe de sauce de soja épaisse
150 g de riz gluant
20 cl d'eau
1 cuil. à soupe de crevettes séchées
4 ou 5 champignons shiitake
2 cuil. à soupe d'huile de tournesol
2 ciboules, finement hachées
2 tranches de racine de gingembre frais, pelées et hachées
125 g de pousses de bambou, détaillées en dés
125 g de jambon cuit, détaillé en dés
1 ½ cuil. à café de sel
1 cuil. à soupe de sauce de soja claire
2 cuil. à soupe de xérès

◆ Badigeonnez la peau du caneton avec la sauce de soja épaisse. Faites cuire le riz à l'eau, en suivant les instructions portées sur le paquet. Faites tremper les crevettes pendant 20 min dans de l'eau chaude et égouttez. Préparez les champignons.

◆ Faites chauffer l'huile dans un wok et faites sauter les ciboules et le gingembre pendant 30 s. Ajoutez le reste des ingrédients, mélangez bien et retirez du feu. Ajoutez le riz cuit et mélangez.

◆ Farcissez le canard avec ce mélange et recousez soigneusement l'ouverture. Faites-le cuire pendant 30 min, sur une grille posée sur un plat, dans le four préchauffé à 200 °C/th. 6.

◆ Baissez la température du four à 180 °C/th. 5, et laissez cuire encore pendant 45 min. Retirez la farce, posez-la au milieu d'un plat. Découpez le canard et disposez-le autour de la farce.

---

Pour 4 à 6 personnes
Temps de préparation : 35-40 min
Temps de cuisson : 1 h 15
Température du four : 200 °C/th. 6, puis 180 °C/th. 5

---

► *Le nom de cette recette se réfère au nombre d'ingrédients de la farce. Le chiffre huit est considéré comme propice à l'équilibre et l'harmonie.*

# Sauté de canard
## *aux pousses de bambou et aux amandes*

*Les Chinois raffolent de la riche saveur et du fondant du canard. Ce sauté permet de l'accommoder de façon simple et succulente.*

500 g de magret de canard, sans peau
2 tranches de racine de gingembre frais, pelées et détaillées en filaments
1 gousse d'ail, écrasée
3 cuil. à soupe d'huile de sésame
3 ou 4 champignons chinois séchés
4 ciboules, découpées en tronçons
125 g de pousses de bambou en boîte, égouttées et émincées
3 cuil. à soupe de sauce de soja
2 cuil. à soupe de xérès
2 cuil. à café de Maïzena
1 cuil. à soupe d'amandes émincées, grillées

◆ Coupez la viande en petits morceaux et mettez-la dans une jatte avec le gingembre et l'ail.

◆ Arrosez avec 1 cuil. à soupe d'huile et laissez mariner pendant 30 min.

◆ Faites tremper les champignons pendant 15 min dans de l'eau chaude. Épongez, jetez les queues et émincez les chapeaux.

◆ Faites chauffer le reste de l'huile dans un wok ou une sauteuse, ajoutez les ciboules et faites-les dorer pendant 30 s.

◆ Ajoutez le canard et laissez cuire pendant 2 min. Ajoutez les champignons, les pousses de bambou, la sauce de soja et le xérès, puis laissez cuire pendant 2 min.

◆ Délayez la Maïzena avec 1 cuil. à soupe d'eau et versez le tout dans la sauteuse. Laissez épaissir pendant 1 min. Ajoutez les amandes. Servez.

---

Pour 4 à 6 personnes
Temps de préparation : 15 min, plus 30 min de macération et 15 min de trempage
Temps de cuisson : 6-7 min

---

# Canard braisé
## *aux champignons shiitake*

4 champignons shiitake séchés
1 canard de 2 kg, découpé en portions individuelles
5 cuil. à soupe de sauce de soja claire
4 cuil. à soupe d'huile de tournesol
3 ciboules, hachées
4 tranches de racine de gingembre frais, pelées et hachées
3 anis étoilés entiers
1 cuil. à café de grains de poivre noir
2 cuil. à café de xérès sec
125 g de pousses de bambou en boîte, égouttées et émincées
2 cuil. à soupe de Maïzena
2 cuil. à soupe d'eau
1 anis étoilé, pour décorer (facultatif)

◆ Faites tremper les champignons pendant 20 min dans de l'eau bouillante. Égouttez et jetez les queues.

◆ Badigeonnez le canard avec de la sauce de soja. Faites chauffer l'huile dans un wok et faites bien dorer le canard. Mettez-le dans une casserole, ajoutez les ciboules, le gingembre, l'anis étoilé, le poivre, le xérès, le reste de sauce de soja et assez d'eau froide pour recouvrir le tout.

◆ Portez lentement à ébullition, baissez le feu et laissez frémir pendant 1 h 30-2 h. Ajoutez les champignons et les pousses de bambou 20 min avant la fin de la cuisson.

◆ Délayez la Maïzena avec l'eau et versez dans la casserole. Laissez épaissir sur le feu. Versez dans un plat de service chaud et servez chaud, décoré avec l'anis étoilé (facultatif).

Pour 4 personnes
Temps de préparation : 20 min, plus 20 min de trempage
Temps de cuisson : environ 2 h 30

► *On peut commencer à préparer ce plat la veille. Faites cuire le canard à petit feu pendant 1 h 30 et laissez refroidir. Le lendemain, retirez la graisse figée, portez à ébullition et ajoutez les champignons et les pousses de bambou. Laissez frémir pendant 20 min et terminez comme ci-dessus. L'anis étoilé est une épice chinoise au goût de réglisse, en forme d'étoile à huit pointes.*

# Canard au barbecue
## *au gingembre et aux graines de sésame*

4 magrets de canard, sans peau

**MARINADE**
2 cuil. à soupe de sucre roux
1 cuil. à café de sel
4 cuil. à soupe de sauce de soja claire
1 cuil. à soupe d'huile de sésame
1 morceau de 1 cm de racine de gingembre frais, pelé et finement haché
1 cuil. à café de graines de sésame

◆ Découpez les magrets de canard en 32 morceaux égaux.

◆ Mélangez les ingrédients de la marinade et ajoutez le canard.

◆ Mélangez, couvrez et laissez macérer pendant 3-4 h dans un endroit frais ou toute la nuit au réfrigérateur. Arrosez plusieurs fois le canard avec la marinade, en enrobant bien les morceaux.

◆ Retirez les morceaux avec une écumoire et enfilez-les sur 8 piques en bambou préalablement trempées dans l'eau, ou 4 brochettes en métal.

◆ Posez sur la grille d'un barbecue pas trop chaud et faites cuire les petites brochettes pendant 8-10 min et les grandes pendant 10-12 min.

◆ Retournez plusieurs fois les brochettes en cours de cuisson et arrosez avec le reste de la marinade.

◆ Servez la viande chaude ou froide, sur les brochettes ou directement dans l'assiette.

Pour 4 personnes
Temps de préparation : 20-25 min, plus 3 ou 4 h de macération
Temps de cuisson : 8-12 min

► *Vous trouverez dans les supermarchés des magrets de canard préemballés sous cellophane, qui conviennent parfaitement pour les sautés ou le barbecue.*

# Pigeons rôtis
## *enrobés d'une sauce au miel, au soja et à l'ail*

4 pigeons prêts à cuire
20 cl d'alcool de riz ou de vodka

**MARINADE**
5 cuil. à soupe d'huile de tournesol
3 gousses d'ail, écrasées
½ oignon, finement haché
2 cuil. à soupe de sauce de soja claire
2 cuil. à soupe de miel ou de sirop de sucre de canne
½ cuil. à café de cinq-épices en poudre
1 pincée de poivre noir du moulin
6 cuil. à soupe d'eau

**DIP AU CITRON**
2 citrons, coupés en quartiers
2 cuil. à café de sel
poivre noir du moulin

◆ Badigeonnez l'intérieur et l'extérieur des pigeons avec de l'alcool de riz ou de la vodka. Posez-les sur une grille et laissez sécher.

◆ Mélangez tous les ingrédients de la marinade.

◆ Badigeonnez l'intérieur et l'extérieur des pigeons avec ce mélange, et laissez sécher pendant 1 h, dans une pièce bien aérée, sur une grille ou en suspendant les pigeons par le cou.

◆ Badigeonnez les pigeons avec le reste de la marinade. Faites-les cuire pendant 20 min sur la grille du lèchefrite, dans le four préchauffé à 230 °C/th. 7.

◆ Retirez la chair des pigeons cuits et disposez-la sur un plat chaud.

◆ Répartissez les quartiers de citron sur 4 assiettes, ajoutez ½ cuil. à café de sel et une pincée de poivre.

◆ Pour le dip, chaque convive mélange du sel et du poivre et ajoute un peu de jus de citron.

---

Pour 4 personnes
Temps de préparation : 30 min, plus 1 h d'attente
Temps de cuisson : 20 min
Température du four : 230 °C/th. 7

---

► *Les pigeons sont très utilisés en cuisine chinoise, et sont généralement braisés ou frits. Le secret de la réussite réside dans la marinade qui attendrit la chair et l'empêche de se dessécher.*

# Accessoires supplémentaires

*Wok*

*Presse-ail*

*Passoire à pieds*

### *Wok*

Le wok est le principal élément de la cuisine chinoise, souvent utilisé conjointement avec d'autres ustensiles. Le wok est solide et polyvalent, son fond arrondi et son pourtour incliné permettent de faire frire les aliments ou bien de les faire sauter rapidement, en employant un minimum d'huile. La surface du wok répartit bien la chaleur. Avec quelques accessoires de base, il permet de cuire à la vapeur, de braiser, de poêler ou même de fumer. Le wok est généralement vendu complet, avec une grille et un couvercle en dôme pour la cuisson à la vapeur et le braisage. Avant de l'utiliser pour la première fois, nettoyez-le soigneusement avec du détergent. Par la suite, il suffit de le laver à l'eau chaude.

### *Presse-ail*

Le presse-ail est très utile. L'ail est pressé à travers une série de très petits trous qui laissent passer les huiles odorantes sans parfumer vos doigts. Vous pouvez l'utiliser également pour extraire du jus de la racine de gingembre.

### *Passoire à pieds*

La passoire à pieds sert à séparer les liquides des solides et à égoutter

Cuit-vapeur en acier inoxydable

Chinois

Cuillère mesureuse standard

et rincer les aliments. Il en existe de différentes tailles et de différentes formes, en plastique, en acier émaillé ou inoxydable. La passoire en acier inoxydable, solide, résistant à la chaleur et supportant le lave-vaisselle, est la plus pratique.

### *Chinois*

Le chinois possède un cadre rigide et une toile métallique en forme de dôme, plus ou moins fine. Il permet de séparer les solides des liquides mais aussi de filtrer les préparations. La toile métallique doit être en acier inoxydable.

### *Cuillère mesureuse standard*

Elle comporte une cuillère à soupe, une cuillère à café, une demi-cuillère à café et un quart de cuillère à café. En aluminium, en plastique ou en acier inoxydable, elle permet de mesurer les ingrédients liquides ou solides, les cuillerées étant toujours rases.

### *Cuit-vapeur en acier inoxydable*

Remplit la même fonction que le cuit-vapeur en bambou, ce dernier pouvant comporter plusieurs étages. Il est certainement plus moderne et plus pratique à entretenir, et dure plus longtemps. Il respecte la consistance et la saveur des aliments.

# RIZ ET NOUILLES

# Nouilles aux œufs

## *et sauce aux haricots jaunes pimentée*

*Les nouilles aux œufs sont surtout utilisées en Chine du Nord. Elles ressemblent beaucoup aux pâtes, qui peuvent les remplacer. On dit que c'est Marco Polo qui, revenant de Chine, a rapporté en Italie la recette des nouilles.*

375 g de nouilles aux œufs
3 cuil. à soupe de sauce aux haricots jaunes
2 cuil. à café de sauce pimentée
1 gousse d'ail, écrasée
3 cuil. à soupe d'huile
2 poivrons verts, vidés et épépinés
1 oignon moyen, émincé finement
150 g de germes de soja
sel

◆ Faites cuire les nouilles ou les spaghettini *al dente*, dans de l'eau bouillante salée, pendant 5 min. Égouttez.

◆ Mélangez la sauce aux haricots jaunes, la sauce pimentée et l'ail.

◆ Faites chauffer l'huile à feu vif dans un wok ou une sauteuse. Ajoutez les poivrons, l'oignon et les germes de soja et faites sauter pendant 2 min.

◆ Ajoutez les nouilles et la sauce puis mélangez.

◆ Réchauffez bien et versez dans un plat de service chaud.

Pour 4 personnes
Temps de préparation : 10 min
Temps de cuisson : 10 min

► *Les sauces aux haricots sont très utilisées en cuisine chinoise. La sauce aux haricots jaunes (fèves de soja salées, ail, sauce de soja, vinaigre, sucre, assaisonnement) est moins forte que celle aux haricots noirs.*

# Nouilles fraîches
## *à la pâte de sésame*

*Les nouilles fraîches que l'on trouve dans les magasins chinois sont particulièrement délicieuses. Ici, elles sont accompagnées d'une sauce au sésame parfumée et d'un bouillon brûlant.*

500 g de nouilles fraîches
1 l de Bouillon de volaille (voir page 11)

**SAUCE**
2 cuil. à soupe de pâte de sésame
4 cuil. à soupe d'eau
4 cuil. à soupe de ciboules hachées
1 cuil. à café de sauce de soja
2 cuil. à café de vinaigre de vin rouge
2 cuil. à café d'huile pimentée
1 cuil. à café de sel

◆ Faites cuire les nouilles *al dente*, dans de l'eau bouillante salée, pendant 3 min. Portez le bouillon à ébullition dans une autre casserole.

◆ Pour la sauce, mélangez la pâte de sésame avec l'eau puis ajoutez le reste des ingrédients.

◆ Quand les nouilles sont cuites, égouttez-les. Répartissez le bouillon bouillant entre quatre petits bols individuels.

◆ Ajoutez les nouilles cuites et arrosez de sauce. Chaque convive mélange le contenu de son bol avant de manger.

Pour 4 à 6 personnes
Temps de préparation : 10 min
Temps de cuisson : 10-15 min

► *La pâte de sésame est très employée dans les sauces chinoises. Riche et très parfumée, elle ressemble beaucoup au beurre de cacahuète. Achetez de l'huile pimentée sous forme de petites bouteilles dans les épiceries chinoises, et utilisez-la avec parcimonie.*

# Nouilles de Singapour

*Voici l'une des nombreuses versions de ce plat de nouilles que vendent les marchands ambulants de Singapour. Vous pouvez transformer la recette à votre gré mais celle-ci donne un plat succulent, parfait pour le dîner.*

2 nids de nouilles sèches
60 cl d'eau
150 g de porc maigre, découpé en lanières de 5 cm
75 g de crevettes crues, décortiquées
75 g de calamars, nettoyés et coupés en rondelles
4 cuil. à soupe d'huile de tournesol
2 gousses d'ail, écrasées
75 g de germes de soja
1 cuil. à soupe de sauce de soja claire
1 cuil. à soupe de sauce de soja épaisse
½ cuil. à café de poivre noir du moulin
1 bouquet de ciboulette fraîche, hachée
2 œufs

◆ Faites bouillir les nouilles pendant 2 min dans de l'eau bouillante salée. Égouttez.

◆ Portez à ébullition les 60 cl d'eau et faites cuire le porc, les crevettes et les calamars pendant 5 min. Égouttez et réservez le liquide.

◆ Faites chauffer l'huile dans un wok ou une sauteuse et faites dorer l'ail. Ajoutez les germes de soja et les nouilles, augmentez le feu et faites cuire pendant 2 min.

◆ Ajoutez le porc, les crevettes et les calamars, les sauces de soja, le poivre et la ciboulette et faites cuire encore pendant 1 min en remuant.

◆ Réservez le mélange sur le côté du wok et cassez les œufs dans celui-ci. Laissez cuire pendant 1 min et ajoutez le liquide réservé.

◆ Portez à ébullition et laissez cuire pendant 2 min, en mélangeant le tout. Versez dans un plat de service chaud et servez aussitôt.

Pour 4 personnes
Temps de préparation : 15 min
Temps de cuisson : 14-18 min

► *Les nouilles de riz sèches sont vendues dans les épiceries chinoises en paquets ressemblant à des petits nids.*

# Nouilles croustillantes
## *aux épinards, au poulet et aux crevettes*

3 branches de céleri
125 g d'épinards
500 g de nouilles aux œufs ou de fettucine
1 cuil. à soupe d'huile
1 gousse d'ail, émincée
1 morceau de racine de gingembre frais, pelé et haché
3 ciboules, hachées
150 g de porc maigre, découpé en tranches fines
150 g d'escalopes de poulet, découpées en lanières
1 cuil. à soupe de sauce de soja
1 cuil. à soupe de xérès sec
50 g de crevettes surgelées, décongelées et décortiquées

◆ Coupez les branches de céleri en biais et les épinards en lamelles.

◆ Faites cuire les nouilles ou les fettucine *al dente*, dans l'eau bouillante salée, en suivant les instructions portées sur le paquet.

◆ Passez-les sous l'eau froide puis égouttez.

◆ Faites chauffer l'huile dans un wok ou une sauteuse, ajoutez l'ail, le gingembre et les ciboules et faites dorer pendant 1 min.

◆ Ajoutez le porc et le poulet et faites sauter pendant 2 min. Ajoutez les nouilles, la sauce de soja, le xérès et les crevettes et laissez cuire pendant 3 min.

◆ Versez sur un plat de service chaud et servez aussitôt.

Pour 4 à 6 personnes
Temps de préparation : 15 min
Temps de cuisson : 15-20 min

► *Les nouilles chinoises peuvent être cuites à l'eau puis sautées. Cuisez-les juste* al dente *avant de les faire sauter, une cuisson prolongée nuirait à leur consistance et les rendrait collantes.*

# Nouilles au porc
## *et aux légumes*

*Un plat de nouilles parfumé aux saveurs variées, vite réalisé et cuit en quelques minutes.*

2 cuil. à soupe d'huile
2 piments verts, épépinés et finement émincés
1 gousse d'ail, finement émincée
375 g de porc haché
2 carottes, coupées en allumettes
3 branches de céleri, coupées en allumettes
½ concombre, coupé en allumettes
4 ciboules, émincées
1 petit poivron vert, vidé, épépiné et émincé
1 cuil. à soupe de sauce de soja
2 cuil. à soupe de purée de haricots rouges sucrée
1 cuil. à soupe de xérès sec
375 g de nouilles ou de spaghettini, cuites

◆ Faites chauffer l'huile dans un wok ou une sauteuse, ajoutez les piments et l'ail et faites sauter le tout pendant environ 30 s.

◆ Ajoutez le porc et laissez cuire pendant 2 min. Augmentez le feu, ajoutez les légumes et laissez cuire pendant 1 min.

◆ Ajoutez la sauce de soja, la purée de haricots, le xérès et les nouilles. Mélangez bien et réchauffez.

◆ Versez sur un plat de service chaud et servez aussitôt.

---

Pour 4 à 6 personnes
Temps de préparation : 10 min
Temps de cuisson : 5 min

---

# Nouilles de soja
## *au porc et à la sauce aux haricots noirs*

125 g de nouilles de soja
250 g de porc maigre, haché
1 cuil. à café de Maïzena
2 cuil. à soupe de sauce de soja claire
1 cuil. à café de sauce aux haricots noirs épicée
15 cl de Bouillon de volaille (voir page 11) ou d'eau
4 cuil. à soupe d'huile de tournesol
4 ciboules, finement hachées
1 piment vert frais, épépiné et finement haché

◆ Faites tremper les nouilles pendant 10 min dans de l'eau chaude. Égouttez. Mélangez le porc avec la Maïzena et la sauce de soja.

◆ Mélangez la sauce aux haricots noirs avec le bouillon ou l'eau.

◆ Faites chauffer l'huile à feu vif dans un wok ou une sauteuse. Ajoutez le porc et faites-le sauter pendant 2 min, en remuant.

◆ Ajoutez les nouilles, le piment et pour finir la purée de haricots. Mélangez.

◆ Portez à ébullition et mélangez pendant 1 min environ, jusqu'à ce que tout le liquide soit évaporé.

◆ Disposez sur un plat de service chaud et servez aussitôt.

---

Pour 4 personnes
Temps de préparation : 10 min, plus 10 min de trempage
Temps de cuisson : 4-5 min

---

▶ *Les nouilles de soja permettent d'ajouter du volume à un sauté, pour un plat complet délicieux et nourrissant.*

# Chow Mein

*Le Chow Mein, qui signifie littéralement « nouilles sautées », a été créé aux États-Unis par des immigrants chinois.*

500 g de nouilles aux œufs ou de spaghettini
4 cuil. à soupe d'huile végétale
1 oignon moyen, finement émincé
125 g de viande cuite (porc, poulet ou jambon), découpée en fines lamelles
125 g de haricots mange-tout ou de haricots verts
125 g de germes de soja fraîches
1 cuil. à café de sel
2 ou 3 ciboules, coupées en fines lamelles
2 cuil. à soupe de sauce de soja claire
1 cuil. à soupe d'huile de sésame ou de sauce pimentée, en touche finale
gros sel pour faire cuire les nouilles

◆ Faites cuire les nouilles ou les spaghettini dans de l'eau bouillante salée, en suivant les instructions portées sur le paquet.

◆ Passez-les sous l'eau froide, égouttez et réservez.

◆ Faites chauffer 3 cuil. à soupe d'huile dans un wok, ajoutez l'oignon, la viande, les mange-tout ou les haricots verts et les germes de soja et faites sauter pendant 1 min.

◆ Ajoutez 1 cuil. à café de sel et mélangez de nouveau, retirez du feu avec une écumoire et gardez au chaud.

◆ Faites chauffer le reste de l'huile et ajoutez les ciboules et les nouilles, plus la moitié du mélange de viande et de légumes.

◆ Versez la sauce de soja et faites sauter pendant 1-2 min, pour bien réchauffer l'ensemble.

◆ Faites glisser le tout dans un grand plat de service chaud, couronnez avec le reste du mélange de viande et de légumes.

◆ Arrosez avec l'huile de sésame ou la sauce pimentée (ou bien avec les deux). Servez aussitôt.

Pour 4 personnes
Temps de préparation : 15 min
Temps de cuisson : 15-18 min

# Chop Suey de poulet *à l'ail*

2 cuil. à soupe d'huile
5 ciboules, hachées
1 morceau de racine de gingembre frais, pelé et haché
2 gousses d'ail, écrasées
175 g d'escalopes de poulet, sans peau et découpées en fines lanières
1 cuil. à soupe de purée de tomate
2 cuil. à soupe de xérès sec
2 cuil. à soupe de sauce de soja
1 cuil. à café de sucre
8 cuil. à soupe d'eau
300 g de germes de soja
3 œufs battus avec 3 cuil. à soupe d'eau

◆ Faites chauffer 1 cuil. à soupe d'huile, ajoutez les ciboules et le gingembre et faites cuire pendant 1 min en remuant.

◆ Ajoutez l'ail et le poulet et faites sauter pendant 2 min. Baissez le feu, ajoutez la purée de tomate, le xérès, la sauce de soja, le sucre et 5 cuil. à soupe d'eau.

◆ Laissez chauffer doucement puis versez sur un plat de service chaud.

◆ Faites chauffer 2 cuil. à café d'huile dans la sauteuse, ajoutez les germes de soja et le reste de l'eau et faites sauter pendant 3 min.

◆ Versez sur le plat de service et gardez au chaud.

◆ Essuyez la sauteuse et faites chauffer le reste de l'huile. Versez-y les œufs battus et faites-les cuire.

◆ Versez sur les germes de soja et servez aussitôt.

---

Pour 4 personnes
Temps de préparation : 8 min
Temps de cuisson : 8-10 min

---

► *Le terme Chop Suey vient du mot chinois* zasui *ou « morceaux mélangés ». On peut y incorporer des petites portions de viande, de poisson et de légumes, ce qui permet d'utiliser les restes. Essayez diverses combinaisons mais ajoutez toujours un légume frais.*

# Riz frit

## *au jambon et aux germes de soja*

*Un reste de riz sera parfait pour cette recette savoureuse et rapide. Préparez tous les ingrédients à l'avance et faites-les sauter au moment de servir.*

2 cuil. à soupe d'huile de tournesol
2 ciboules, finement hachées
1 gousse d'ail, écrasée
400 g de riz long, cuit
200 g de jambon cuit, découpé en dés
2 cuil. à soupe de sauce de soja claire
2 œufs
250 g de germes de soja, rincés et égouttés
sel et poivre du moulin

◆ Faites chauffer l'huile dans un wok ou une sauteuse sur feu modéré et faites dorer les ciboules et l'ail pendant 2 min.

◆ Ajoutez le riz cuit et mélangez bien. Laissez cuire doucement en remuant constamment, pour que le riz soit bien chaud.

◆ Incorporez le jambon et la sauce de soja. Battez les œufs avec du sel et du poivre, selon votre goût.

◆ Versez en filet dans le riz en mélangeant constamment.

◆ Ajoutez les germes de soja et continuez à cuire, en remuant. Les ingrédients doivent être chauds et les œufs pris. Servez aussitôt.

---

Pour 4 personnes
Temps de préparation : 15 min
Temps de cuisson : 8-10 min

---

► *Pour cette recette, prenez du jambon ordinaire, mais en tranche épaisse pour pouvoir le couper en dés.*

# Riz frit épicé
## *aux piments rouges*

*Les amateurs de piment vont adorer ce plat mais il est également très bon et tout aussi coloré avec du paprika.*

375 g de riz long
45 cl d'eau
2 cuil. à soupe d'huile de tournesol
4 échalotes ou 1 oignon, finement émincés
2 piments rouges frais, épépinés et finement émincés
50 g de porc, haché
1 cuil. à soupe de sauce de soja claire
1 cuil. à café de purée de tomate
sel

**POUR DÉCORER**
quelques rondelles d'oignon frit
1 omelette ordinaire, faite avec 1 œuf, coupée en lamelles
quelques feuilles de coriandre fraîche
quelques rondelles de concombre

◆ Faites cuire le riz (voir Riz bouilli simple page 132), puis gardez-le au chaud.

◆ Faites chauffer l'huile dans un wok ou une sauteuse, ajoutez les échalotes et les piments et laissez cuire pendant 1-3 min.

◆ Ajoutez la viande et faites-la sauter pendant 3 min, en remuant constamment.

◆ Ajoutez le riz, la sauce de soja et la purée de tomate et faites cuire pendant 5-8 min. Assaisonnez de sel.

◆ Versez dans un plat de service chaud et décorez avec l'oignon frit, l'omelette en lamelles, la coriandre et le concombre. Servez aussitôt.

Pour 4 personnes
Temps de préparation : 15 min
Temps de cuisson : environ 25-30 min

► *Les graines constituent la partie la plus forte du piment : portez des gants en caoutchouc pour les retirer. Fendez le piment dans la longueur, maintenez-le sous l'eau courante froide et frottez les graines pour les détacher. Évitez de toucher vos yeux pour ne pas les irriter et lavez-vous bien les mains ensuite.*

# Riz aux crevettes, *aux légumes et à la viande*

250 g de riz long, cuit
125 g de crevettes, décortiquées
2 cuil. à café de sel
1 blanc d'œuf, légèrement battu
2 cuil. à soupe de Maïzena
1 rognon de porc, partagé en deux et paré
1 foie de poulet, finement émincé
125 g de haricots verts, coupés en deux
3 cuil. à soupe d'huile de tournesol
2 ciboules, coupées en petits morceaux
125 g de rôti de porc, finement émincé
125 g de filets de poisson blanc, découpés en dés
1 cuil. à café de sucre
2 cuil. à soupe de sauce de soja claire
4 cuil. à soupe de Bouillon de volaille (voir page 11)

◆ Faites cuire le riz (voir Riz bouilli simple page 132), puis gardez-le au chaud.

◆ Mettez les crevettes dans un bol avec une pincée de sel, le blanc d'œuf et 1 cuil. à soupe de Maïzena, mélangez.

◆ Incisez en croisillon la surface de chaque moitié de rognon puis découpez chaque moitié en 6 à 8 morceaux.

◆ Faites blanchir pendant 10-15 s dans l'eau bouillante, les crevettes, le rognon, le foie et les haricots verts, puis égouttez.

◆ Faites chauffer l'huile dans un wok ou une sauteuse et faites dorer les ciboules.

◆ Ajoutez les viandes, le poisson et les légumes, salez, ajoutez le sucre et la sauce de soja. Faites sauter pendant 1 min.

◆ Mélangez le reste de la Maïzena avec le bouillon et versez dans le wok, en remuant. Servez sur un lit de riz.

Pour 4 personnes
Temps de préparation : 30 min
Temps de cuisson : 30-35 min

# Riz parfumé
## *en papillotes de feuilles de lotus*

*Le riz de ce plat exotique est délicatement parfumé par la feuille de lotus qui l'enveloppe.*

200 g de riz long, cuit
8 feuilles de lotus
1 cuil. à soupe d'huile de tournesol
1 gousse d'ail, écrasée
3 ciboules, hachées
125 g de champignons de Paris, émincés
50 g de jambon, découpé en dés
150 g de poulet cuit, découpé en dés
1 cuil. à soupe de petits pois
50 g de pousses de bambou en conserve, égouttées et hachées
2 cuil. à soupe de sauce de soja claire
2 cuil. à soupe de xérès sec

◆ Faites cuire le riz (voir Riz bouilli simple page 132), puis gardez-le au chaud. Faites tremper les feuilles de lotus pendant 30 min dans de l'eau chaude. Égouttez.

◆ Faites chauffer l'huile dans un wok ou une sauteuse, ajoutez l'ail et les ciboules et faites sauter pendant 1 min.

◆ Ajoutez le reste des ingrédients sauf les feuilles de lotus et continuez la cuisson pendant 2 min. Découpez chaque feuille en 2 ou 3 et répartissez le mélange sur chaque morceau de feuille.

◆ Repliez les feuilles pour enfermer la farce, maintenez le tout par une ficelle. Posez dans un cuit-vapeur et faites cuire pendant 15-20 min.

◆ Posez les petits paquets sur un plat de service chaud et servez aussitôt, chaque convive ouvrant son propre paquet.

---

Pour 4 à 6 personnes
Temps de préparation : 20 min, plus 30 min de trempage
Temps de cuisson : 30-35 min

---

► *Les feuilles de lotus séchées sont utilisées comme papillotes. Quand elles sont fraîches, elles parfument délicieusement le plat. Si vous n'en trouvez pas, remplacez-les par des feuilles de vigne.*

# Riz bouilli simple

*En Chine, le riz est presque sacré. Son importance est telle que renverser ou casser un bol de riz est considéré comme un mauvais présage.*

250 g de riz à grains moyens
60 cl d'eau froide
1 cuil. à café de sel

◆ Mettez le riz, l'eau et le sel dans une casserole. Posez-la sur un feu modéré et portez à ébullition.

◆ Remuez, couvrez et laissez frémir pendant 15 min ou jusqu'à ce que toute l'eau soit absorbée.

◆ Versez le riz dans une passoire à pied ou un grand chinois. Rincez sous l'eau froide pour arrêter la cuisson.

◆ Passez sous l'eau très chaude pour l'empêcher de coller.

◆ Étalez le riz sur un grand plat peu profond et laissez-le sécher pendant 5 min dans un endroit chaud.

◆ Remuez deux fois le riz avec une fourchette pendant qu'il sèche, pour séparer les grains et les sécher uniformément.

Pour 4 personnes
Temps de préparation : 5 min,
plus 5 min d'attente
Temps de cuisson : 15-20 min

► *La cuisine chinoise utilise généralement les riz à grains moyens ou à grains ronds, plus faciles à manger avec des baguettes. Bien que l'on trouve du riz précuit ou traité de façon à ne pas coller, les puristes préfèrent la méthode traditionnelle qui respecte mieux la saveur du riz.*

# Riz à la vapeur

*Si vous n'avez pas de cuit-vapeur en acier inoxydable, pensez aux jolis petits paniers cuit-vapeur en bambou que vous trouverez dans les supermarchés chinois. Peu coûteux, ils peuvent même être posés sur la table.*

250 g de riz à grains moyens
1 cuil. à café de sel

◆ Portez à ébullition une grande casserole d'eau salée. Versez le riz en pluie et laissez cuire pendant 5 min à petit feu. Égouttez, passez sous le robinet d'eau chaude et égouttez de nouveau.

◆ Mettez le riz dans un cuit-vapeur en bambou ou en métal.

◆ Posez le cuit-vapeur sur une casserole d'eau en ébullition, en prenant soin que l'eau ne déborde pas sur le riz en bouillant.

◆ Avec le manche d'une cuillère en bois, pratiquez plusieurs trous dans le riz pour laisser passer la vapeur.

◆ Couvrez la casserole et faites cuire pendant 45 min à la vapeur.

◆ Versez le riz sur un grand plat peu profond et laissez sécher pendant 5 min dans un endroit chaud.

◆ Remuez deux fois le riz à la fourchette pour qu'il sèche uniformément et pour séparer les grains.

Pour 4 personnes
Temps de préparation : 5 min
Temps de cuisson : 50 min

# VIANDES

# Travers de porc
## *et sauce épicée au piment*

*Les cuisiniers chinois ont toujours apprécié les travers de porc tendres. Cuisez-les dans cette sauce épicée pour obtenir un plat succulent.*

**SAUCE AU PIMENT**
4 cuil. à soupe de miel d'acacia
4 cuil. à soupe de vinaigre de vin
2 cuil. à soupe de sauce de soja claire
2 cuil. à soupe de xérès sec
1 boîte de 150 g de purée de tomate
1 cuil. à café de piment en poudre
2 gousses d'ail, écrasées

1 kg de travers de porc maigre, découpé en morceaux de 5 cm
sel
2 cuil. à soupe d'huile de tournesol
2 piments rouges séchés, épépinés et coupés en petites rondelles
1 morceau de racine de gingembre frais, pelé et finement haché
1 gousse d'ail, émincée
1 piment rouge séché, épépiné et coupé en rondelles, pour décorer (facultatif)

◆ Pour la sauce au piment, mélangez tous les ingrédients et réservez.

◆ Saupoudrez la viande de sel.

◆ Faites chauffer l'huile dans un wok et faites rapidement sauter les piments rouges pour la parfumer.

◆ Retirez les piments avec une écumoire et jetez-les. Ajoutez le gingembre et l'ail et laissez dorer pendant 30 s à feu modéré.

◆ Ajoutez les travers de porc et faites-les dorer pendant 5 min. Baissez le feu et laissez cuire pendant 10 min.

◆ Versez la sauce dans le wok, couvrez et laissez frémir pendant 25-30 min. Servez chaud, décoré de rondelles de piment (facultatif).

---

Pour 4 à 6 personnes
Temps de préparation : 15 min
Temps de cuisson : 40-45 min

---

► *Lorsque vous servez des travers de porc ou autre plat que l'on mange avec les doigts, prévoyez des petits bols d'eau chaude pour chaque convive et de nombreuses serviettes en papier.*

# Porc en cuisson double
## *et sauce pimentée*

- 400 g de poitrine de porc en un seul morceau
- 150 g de pousses de bambou
- 150 g de branches de céleri
- 3 cuil. à soupe d'huile de tournesol
- 2 ciboules, hachées
- 1 gousse d'ail, hachée
- 2 cuil. à soupe de xérès sec
- 1 cuil. à soupe de sauce de soja claire
- 1 cuil. à soupe de pâte de piment

◆ Mettez le morceau de porc entier dans une casserole d'eau bouillante et faites-le cuire pendant 25-30 min. Retirez et laissez refroidir.

◆ Découpez la viande en travers des fibres, en minces tranches.

◆ Découpez les pousses de bambou et le céleri en tronçons de 5 cm.

◆ Faites chauffer l'huile dans un wok ou une sauteuse.

◆ Quand l'huile fume, ajoutez les ciboules et l'ail pour la parfumer, puis ajoutez les légumes et faites rapidement dorer.

◆ Ajoutez le porc puis le xérès, la sauce de soja et la pâte de piment. Laissez cuire pendant 2 min.

◆ Posez sur un plat chaud et servez aussitôt avec des nouilles.

Pour 3 à 4 personnes
Temps de préparation : 15 min
Temps de cuisson : 35-40 min

► *Cette recette associe deux méthodes de cuisson, technique connue sous le nom de « cuisson double ». L'aliment est tout d'abord bouilli puis sauté pour le rendre croustillant.*

# Sauté de porc et d'aubergines

200 g de porc maigre désossé, découpé en lanières
2 ciboules, finement hachées
1 tranche de racine de gingembre frais, pelée et finement hachée
1 gousse d'ail, finement hachée
1 cuil. à soupe de sauce de soja
1 cuil. à café de xérès sec
1 ½ cuil. à café de Maïzena
60 cl d'huile végétale pour friture
250 g d'aubergines, coupées en petits losanges
1 cuil. à soupe de sauce pimentée
3 ou 4 cuil. à soupe de Bouillon de volaille (voir page 11) ou d'eau
ciboule hachée, pour décorer

◆ Mettez le porc dans une jatte avec les ciboules, le gingembre, l'ail, la sauce de soja, le xérès et la Maïzena.

◆ Mélangez bien et laissez mariner pendant 20 min.

◆ Faites chauffer l'huile à 180 °C dans un wok ou une sauteuse (un dé de pain rassis doit brunir en 45 s).

◆ Baissez le feu, ajoutez les morceaux d'aubergine et faites frire pendant environ 1 min 30.

◆ Retirez du wok avec une écumoire et égouttez.

◆ Videz l'huile de friture en ne laissant que 1 cuil. à soupe dans le wok, ajoutez le porc et faites-le griller pendant 1 min.

◆ Ajoutez l'aubergine et la sauce pimentée et laissez cuire pendant 1 min 30, puis mouillez avec le bouillon ou l'eau.

◆ Laissez frémir jusqu'à ce que le liquide soit presque évaporé. Servez chaud avec du riz bouilli, décoré de ciboule hachée.

Pour 3 à 4 personnes
Temps de préparation : 10 min, plus 20 min de macération
Temps de cuisson : 10-15 min

# Porc cantonais
## *à la sauce aigre-douce*

*Les deux extrêmes, sucré et salé, de cette sauce symbolisent la parfaite harmonie du Yin et du Yang.*

500 g de filets de porc, découpés en dés de 3 cm
1 cuil. à café de sel
1 pincée de poivre du moulin
½ cuil. à café de cinq-épices en poudre
2 cuil. à soupe de xérès sec
1 œuf
3 cuil. à soupe de Maïzena
huile végétale pour friture
2 cuil. à soupe d'huile
1 gousse d'ail, écrasée
1 oignon, grossièrement haché
1 ou 2 poivrons verts, vidés, épépinés et coupés en dés
1 boîte de 250 g de morceaux d'ananas, avec le jus
3 cuil. à soupe de vinaigre de vin
50 g de sucre
4 cuil. à soupe de ketchup

◆ Portez à ébullition une casserole remplie d'eau. Ajoutez le porc et laissez-le bouillir jusqu'à ce qu'il change de couleur.

◆ Égouttez le porc, laissez refroidir et séchez avec du papier absorbant.

◆ Mélangez le sel, le poivre, le cinq-épices, le xérès, l'œuf et la Maïzena. Ajoutez le porc et mélangez pour enrober les morceaux.

◆ Dans un wok, faites chauffer l'huile à 180 °C (un dé de pain rassis doit brunir en 45 s). Faites frire le porc qui doit être bien doré. Égouttez-le sur du papier absorbant.

◆ Faites chauffer 2 cuil. à soupe d'huile dans le wok. Ajoutez l'ail et faites-le dorer. Ajoutez l'oignon et le poivron vert et faites sauter le tout pendant 1 min. Incorporez le jus d'ananas, le vinaigre, le sucre et le ketchup.

◆ Laissez cuire en remuant, jusqu'à épaississement. Ajoutez l'ananas et faites chauffer. Servez chaud, décoré de morceaux d'ananas.

Pour 4 à 6 personnes
Temps de préparation : 10 min
Temps de cuisson : 20-30 min

► *Le cinq-épices est un mélange chinois constitué de poivre, d'anis étoilé, de cannelle, de clous de girofle et de graines de fenouil.*

# Porc au miel
## *et au gingembre*

*Enrobé d'une marinade somptueuse et aromatique puis rapidement rôti, le porc ainsi préparé constitue un plat original et économique.*

**MARINADE**
2 cuil. à soupe de sauce de soja
2 cuil. à soupe de xérès sec
2 cuil. à café d'huile de sésame
1 cuil. à café de sel
2 cuil. à café de jus de gingembre (voir page 24)
2 cuil. à soupe de miel liquide ou de sirop de glucose
50 g de sucre
1 ou 2 gousses d'ail, écrasées

1 kg d'épaule de porc, découpée en morceaux de 5 × 5 × 10 cm

◆ Mélangez tous les ingrédients de la marinade dans un grand plat.

◆ Ajoutez le porc et laissez mariner pendant au moins 6 h au réfrigérateur, en retournant plusieurs fois la viande.

◆ Posez les morceaux de porc sur la grille du four placée au-dessus d'un plat. Faites cuire pendant 40-45 min (le porc doit être bien cuit) dans le four préchauffé à 180 °C/th. 5, en arrosant fréquemment.

◆ Découpez en tranches et disposez sur un plat. Servez chaud ou froid.

---

Pour 6 personnes
Temps de préparation : 10 min, plus 6 h de macération
Temps de cuisson : 40-45 min
Température du four : 180 °C/th. 5

---

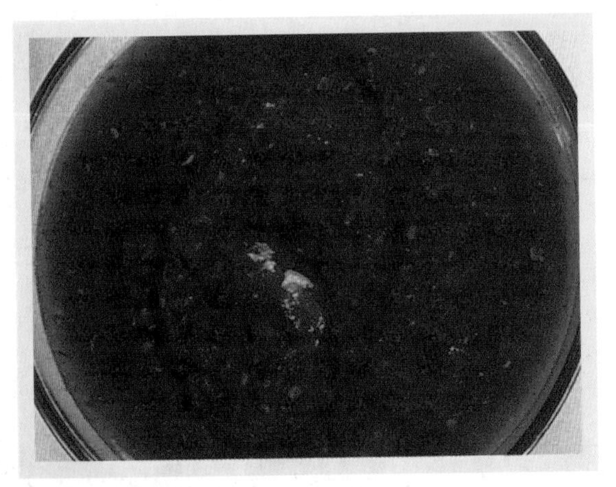

▶ *L'épaule de porc est un morceau économique et goûteux. Pour gagner du temps, demandez à votre boucher de le découper, comme indiqué, en morceaux d'égale grosseur.*

# Porc frit

## *aux épis de maïs*

*Le mélange de saveurs et de consistances de ce plat vite cuit est typique de la cuisine chinoise, dans toute sa simplicité.*

1 cuil. à soupe de xérès sec
1 cuil. à soupe de sauce de soja claire
1 ½ cuil. à café de Maïzena
500 g de filets de porc, découpés en tranches aussi minces que possible
1 cuil. à soupe d'huile de tournesol
500 g d'épis de maïs miniature
1 cuil. à café de sel
50 g de haricots mange-tout
1 boîte de 475 g de champignons de Paris, égouttés
2 cuil. à café de sucre
2 cuil. à café d'eau

◆ Mélangez le xérès et la sauce de soja avec 1 cuil. à café de Maïzena. Ajoutez le porc et mélangez pour enrober les morceaux.

◆ Faites chauffer l'huile dans un wok ou une sauteuse et faites légèrement dorer le porc.

◆ Ajoutez le maïs et le sel et laissez cuire pendant 30 s en remuant. Ajoutez les haricots et les champignons et faites cuire pendant 1 min.

◆ Saupoudrez de sucre.

◆ Délayez le reste de la Maïzena avec l'eau et versez dans le wok, en mélangeant jusqu'à ce que la sauce épaississe.

◆ Disposez sur un plat de service chaud et servez aussitôt.

Pour 4 personnes
Temps de préparation : 5 min
Temps de cuisson : 5-8 min

► *On trouve des épis de maïs miniature dans tous les supermarchés mais ils existent aussi en boîte, auquel cas leur cuisson doit être diminuée de moitié.*

# Porc cuit rouge
## *aux marrons*

1,5 kg à 2 kg de poitrine de porc
1 ½ cuil. à café de sucre
15 cl d'eau
5 ½ cuil. à soupe de sauce de soja
250 g de marrons
5 cuil. à café de xérès sec
chou cuit, en lamelles

◆ Découpez le porc (couenne, maigre et gras) en morceaux de 4 cm. Mélangez le sucre, l'eau et 4 ½ cuil. à café de sauce de soja.

◆ Mettez les morceaux de porc dans une cocotte allant sur le feu et couvrez d'eau bouillante à ras bord.

◆ Laissez frémir pendant 15 min puis jetez l'eau. Mettez le mélange de sauce de soja et le porc dans la cocotte. Remuez.

◆ Enfournez dans le four préchauffé à 150 °C/th. 4 et laissez cuire pendant 1 h en mélangeant deux fois.

◆ Pendant ce temps, faites cuire les marrons pendant 30 min dans de l'eau bouillante. Égouttez-les et épluchez-les.

◆ Ajoutez les marrons au porc, avec le xérès et le reste de sauce de soja. Mélangez bien et remettez au four pendant encore 1 h.

◆ Servez chaud, sur du chou cuit, coupé en lamelles (facultatif).

---

Pour 10 personnes
Temps de préparation : 20 min
Temps de cuisson : 2 h 15-3 h
Température du four : 150 °C/th. 4

---

► *Cette méthode de cuisson est particulière à la cuisine chinoise. Les ingrédients, braisés lentement dans un mélange de sauce de soja, d'eau, de sucre et de xérès, prennent une teinte rougeâtre.*

# Porc braisé
## *au potiron et au gingembre*

400 g de porc maigre
4 cuil. à soupe de sauce de soja
3 cuil. à soupe de xérès sec
500 g de chair de potiron
4 ciboules
2 cuil. à soupe d'huile
1 morceau de racine de gingembre frais, pelé et détaillé en filaments
2 gousses d'ail, émincées

**POUR DÉCORER**
fleurs en carotte
ciboule émincée
feuilles de coriandre

◆ Découpez le porc en tranches de 1 cm d'épaisseur. Mettez la sauce de soja et le xérès dans une jatte et ajoutez le porc.

◆ Mélangez et laissez mariner pendant 20 min.

◆ Découpez la chair de potiron en dés de 3 cm.

◆ Découpez chaque ciboule en 3 morceaux. Faites chauffer l'huile dans un wok ou une sauteuse, ajoutez le potiron et faites dorer.

◆ Ajoutez les ciboules, le gingembre et l'ail et faites sauter pendant 1 min.

◆ Ajoutez le porc et la marinade et laissez cuire pendant 12-15 min, ou jusqu'à ce que le porc et le potiron soient tendres.

◆ Disposez le mélange sur un plat de service chaud, décoré de fleurs en carotte, de ciboule et de coriandre. Servez aussitôt.

Pour 4 à 6 personnes
Temps de préparation : 15 min,
plus 20 min de macération
Temps de cuisson : environ 20 min

▶ *Pour faire des fleurs en carotte, épluchez une carotte et ôtez-en le haut et le bas. Retirez tout autour 6 longues bandes en forme de V. Émincez la carotte en fines tranches qui formeront des petites fleurs.*

# Agneau braisé
## *à la mandarine*

4 mandarines ou 2 grosses oranges
1 cuil. à soupe d'huile
4 côtes d'agneau dans le gigot
6 ciboules, découpées en lamelles
1 cuil. à soupe de xérès sec
1 cuil. à soupe de sauce de soja claire
15 cl de Bouillon de volaille (voir page 11)
25 g de sucre roux
sel (facultatif) et poivre noir du moulin

◆ Prélevez le zeste des mandarines avec un épluche-légumes. Pressez le jus et réservez.

◆ Faites blanchir le zeste coupé finement pendant 5 min dans l'eau bouillante. Égouttez.

◆ Faites chauffer l'huile dans le wok. Ajoutez l'agneau et faites-le bien dorer sur les deux faces. Retirez du wok.

◆ Ajoutez les ciboules dans le wok et faites-les sauter pendant 3 min. Déposez l'agneau sur les ciboules.

◆ Ajoutez le jus des mandarines, le zeste, le xérès, la sauce de soja, le bouillon de volaille, le sucre roux et le poivre.

◆ Couvrez et faites braiser à feu doux pendant 40 min : l'agneau doit être cuit.

◆ Vérifiez l'assaisonnement en cours de cuisson.

◆ Servez sur un lit de riz bouilli, décoré de zestes de mandarine.

Pour 4 personnes
Temps de préparation : 15 min
Temps de cuisson : 55 min

► *Vous pouvez ajouter du sel à cette recette mais rappelez-vous que la sauce de soja est déjà très salée. Vérifiez toujours l'assaisonnement avant de rajouter du sel.*

# Agneau Tung Po
## *sauté avec des légumes*

*Variante légère d'un plat régional portant le nom d'un célèbre poète de la dynastie Tang.*

2 cuil. à soupe d'huile de tournesol
750 g d'agneau très maigre, découpé en tranches minces
250 g de carottes, émincées en biais
4 branches de céleri, émincées en biais
3 cuil. à soupe de sauce de soja claire
4 cuil. à soupe de xérès sec
2 poireaux, émincés
4 gousses d'ail, finement émincées
4 ciboules, découpées en morceaux de 3 cm
1 morceau de racine de gingembre frais de 5 cm, pelé et découpé en lamelles
1 cuil. à café de grains de poivre noir légèrement écrasés
2 cuil. à café de sucre roux
feuilles de coriandre, pour décorer

◆ Faites chauffer l'huile dans un wok ou une sauteuse, ajoutez l'agneau et faites-le bien dorer sur toutes les faces.

◆ Baissez le feu, ajoutez les carottes et le céleri et faites-les cuire pendant 2 min.

◆ Incorporez la sauce de soja et le xérès. Couvrez et continuez la cuisson pendant 15 min.

◆ Ajoutez les poireaux, l'ail, les ciboules et le gingembre et laissez cuire pendant 1 min.

◆ Ajoutez le poivre et le sucre et faites chauffer, en mélangeant, jusqu'à ce que le sucre soit dissous. Décorez de coriandre fraîche et servez aussitôt.

Pour 4 à 6 personnes
Temps de préparation : 15 min
Temps de cuisson : 20-25 min

► *Le meilleur morceau d'agneau pour la cuisson à la sauteuse est le collier, maigre et tendre. Si vous n'en trouvez pas, prenez des côtes de gigot, tout aussi délicieuses.*

# Sauté d'agneau
## *aux nouilles et aux ciboules*

1 œuf battu
1 cuil. à soupe de Maïzena
1 ½ cuil. à soupe d'eau
250 g d'agneau maigre, découpé en lanières
3 cuil. à soupe d'huile de tournesol
2 cuil. à soupe de sauce de soja
4 ou 5 ciboules, découpées en tronçons de 5 cm
30 cl de Bouillon de volaille (voir page 11)
125 g de nouilles ou de vermicelles de soja, trempés dans de l'eau bouillante pendant 5 min et égouttés
1 cuil. à soupe d'huile de sésame
2 cuil. à soupe de xérès sec

◆ Battez l'œuf avec la Maïzena et l'eau.

◆ Ajoutez l'agneau et mélangez pour bien l'enrober.

◆ Faites chauffer l'huile à feu vif dans une sauteuse.

◆ Ajoutez l'agneau et faites-le sauter pendant 1 min. Arrosez de sauce de soja, ajoutez les ciboules et faites cuire pendant 1 min.

◆ Incorporez le bouillon et les vermicelles de soja et portez à ébullition en remuant. Laissez frémir pendant 5 min.

◆ Arrosez avec l'huile de sésame et le xérès. Laissez frémir encore pendant 1 min. Servez chaud sur un lit de vermicelles de soja.

Pour 4 personnes
Temps de préparation : 10 min
Temps de cuisson : 8-10 min

► *La viande est souvent découpée en lamelles pour les sautés. Pour cela, empilez de minces tranches l'une sur l'autre puis, avec un hachoir ou un couteau bien aiguisé, découpez en travers des fibres en fines lamelles égales.*

# Agneau de printemps
## *sauté à l'ail et à l'huile de sésame*

400 g de gigot d'agneau ou de collier
2 cuil. à soupe de xérès sec
2 cuil. à soupe de sauce de soja claire
2 cuil. à soupe de sauce de soja épaisse
1 cuil. à café d'huile de sésame
2 cuil. à soupe d'huile
6 gousses d'ail, finement émincées
1 morceau de 3 cm de racine de gingembre frais, pelé et haché
1 poireau, finement émincé en biais
4 ciboules, hachées

◆ Découpez l'agneau en minces tranches.

◆ Pour la marinade, mélangez le xérès avec les sauces de soja et l'huile de sésame.

◆ Ajoutez l'agneau et mélangez. Laissez mariner pendant 15 min.

◆ Égouttez l'agneau, réservez la marinade

◆ Faites chauffer l'huile dans un wok ou une sauteuse, ajoutez la viande et 2 cuil. à café de marinade, faites sauter à feu vif pendant environ 2 min, jusqu'à ce que la viande soit bien dorée.

◆ Ajoutez l'ail, le gingembre, le poireau et les ciboules et faites sauter pendant 3 min encore. Servez aussitôt.

Pour 4 personnes
Temps de préparation : 5 min, plus 15 min de macération
Temps de cuisson : 5-7 min

► *Avant de faire sauter la viande, découpez-la en tranches fines et en travers des fibres pour qu'elle cuise plus vite et reste tendre. En plaçant la viande au congélateur pendant 1 h, il vous sera plus facile de faire des tranches très minces qui devront être décongelées avant cuisson.*

# Bœuf sauté

## *aux graines de sésame et aux champignons*

400 g de romsteck
1 cuil. à soupe de sauce de soja claire
1 cuil. à soupe de sauce de soja épaisse
1 cuil. à soupe de sucre roux
1 cuil. à café d'huile de sésame
1 cuil. à soupe de xérès sec
2 cuil. à soupe de graines de sésame blanches
2 cuil. à soupe d'huile de tournesol
1 gousse d'ail, finement émincée
2 carottes, émincées en diagonale
2 branches de céleri, émincées en diagonale
50 g de petits champignons de Paris, émincés

◆ Découpez la viande en travers des fibres, en tranches fines.

◆ Mélangez les sauces de soja, le sucre, l'huile de sésame et le xérès. Enrobez la viande dans ce mélange et laissez mariner pendant 15 min.

◆ Faites griller les graines de sésame à sec, dans la sauteuse.

◆ Faites chauffer l'huile dans un wok ou une sauteuse, ajoutez l'ail, le céleri et les carottes puis faites sauter à feu vif pendant 1 min.

◆ Retirez du wok. Augmentez le feu, ajoutez la viande et faites dorer pendant environ 3 min.

◆ Remettez les légumes dans le wok, ajoutez les champignons et laissez cuire pendant 30 s. Parsemez de graines de sésame et servez.

Pour 4 personnes
Temps de préparation : 5 min, plus 15 min de macération
Temps de cuisson : 6-7 min

► *Les graines de sésame sont très appréciées dans la cuisine chinoise pour leur goût de noisette et leur valeur nutritive. Il en existe deux variétés, l'une blanche et l'autre noire, dont le goût est le même. La variété blanche est utilisée ici pour former un contraste de couleur avec le bœuf.*

# Bœuf pimenté
## *à l'ail et au gingembre*

*Brûlant et savoureux, ce sauté de bœuf classique fera le délice des amateurs de cuisine épicée et pimentée.*

500 g de romsteck
sel
2 cuil. à soupe d'huile de tournesol
2 piments rouges, séchés
2 gousses d'ail, émincées
1 morceau de 3 cm de racine de gingembre frais, pelé et détaillé en filaments
4 ciboules, coupées en lamelles
2 cuil. à soupe de sauce de soja épaisse
2 cuil. à soupe de sauce de soja claire
2 cuil. à soupe de xérès sec
2 piments verts frais, épépinés et coupés en lamelles

◆ Découpez le steak en travers des fibres, en minces tranches, salez.

◆ Faites chauffer l'huile dans un wok ou une sauteuse à feu moyen et faites sauter les piments rouges pendant 1 min pour parfumer l'huile.

◆ Avec une écumoire, retirez les piments du wok et jetez-les.

◆ Augmentez le feu puis ajoutez les morceaux de viande et faites-les sauter pendant 1 min, pour bien les dorer.

◆ Ajoutez l'ail, le gingembre et les ciboules et laissez cuire pendant 30 s.

◆ Ajoutez les sauces de soja et le xérès, puis les piments verts et laissez cuire pendant 1 min encore.

◆ Disposez dans un plat de service chaud et servez aussitôt.

Pour 4 personnes
Temps de préparation : 20 min
Temps de cuisson : 4-5 min

# Bœuf épicé
## *sauté aux poireaux et au céleri*

*Les légumes frais et croustillants forment un agréable contraste avec le bœuf parfumé.*

500 g de romsteck
2 poireaux
3 branches de céleri
6 cuil. à soupe d'huile
1 gousse d'ail, écrasée avec 1 pincée de sel
1 cuil. à café de vinaigre de vin rouge
1 cuil. à café de sauce de soja
1 cuil. à soupe d'huile de sésame
1 cuil. à soupe de pâte de soja pimentée

◆ Découpez le bœuf en petites tranches minces. Coupez les poireaux et le céleri en allumettes.

◆ Faites chauffer à feu vif 3 cuil. à soupe d'huile dans un wok ou une sauteuse.

◆ Ajoutez les poireaux et le céleri. Faites-les sauter pendant 1 min puis retirez-les.

◆ Ajoutez le reste de l'huile dans la sauteuse. Faites bien dorer la viande, jusqu'à ce que tout le liquide soit évaporé.

◆ Ajoutez l'ail, le vinaigre, la sauce de soja, l'huile de sésame et la pâte de soja.

◆ Incorporez les légumes et faites sauter le tout pendant 1 min.

◆ Disposez dans un plat de service chaud et servez aussitôt.

Pour 4 à 6 personnes
Temps de préparation : 10 min
Temps de cuisson : 10 min

# Lanières de bœuf
## *sautées à la sauce sichuan*

500 g de romsteck
2 cuil. à soupe de Maïzena
sel
3 cuil. à soupe d'huile de tournesol
4 ciboules, hachées
2 branches de céleri, émincées en diagonale
4 carottes, émincées en diagonale
2 cuil. à soupe de sauce de soja claire
1 cuil. à soupe de sauce hoisin
3 cuil. à café de sauce pimentée
2 cuil. à soupe de xérès sec

◆ Découpez la viande en travers des fibres, en longues et minces lanières.

◆ Mélangez la viande avec la Maïzena et salez à votre goût.

◆ Faites chauffer l'huile dans un wok ou une sauteuse sur feu modéré. Ajoutez les ciboules et faites-les sauter pendant 1 min.

◆ Incorporez les lanières de viande et laissez cuire pendant 4 min, jusqu'à ce que la viande soit dorée.

◆ Ajoutez le céleri et les carottes et faites cuire pendant 2 min. Incorporez les sauces soja, hoisin et pimentée, ainsi que le xérès.

◆ Portez à ébullition et laissez cuire pendant 1 min.

◆ Disposez sur un plat de service chaud et servez aussitôt.

---

Pour 4 ou 6 personnes
Temps de préparation : 10-15 min
Temps de cuisson : environ 10 min

---

► *La sauce hoisin est une purée épaisse brun rouge, à base de soja, très utilisée en Chine dans les plats cuisinés et comme condiment. Vous la trouverez dans les épiceries chinoises et les supermarchés.*

# Bœuf vapeur
## *aux poivrons et au chou chinois*

500 g de bœuf à braiser
25 g de champignons chinois séchés
15 cl de Bouillon de volaille bouillant (voir page 11)
1 poivron rouge, vidé, épépiné et coupé en lamelles de 3 cm
1 poivron vert, vidé, épépiné et coupé en lamelles de 3 cm
1 oignon moyen, finement émincé
1 gousse d'ail, finement hachée
1 cuil. à café de Maïzena
3 cuil. à soupe de sauce de soja
2 cuil. à soupe d'huile de sésame
1 cuil. à café de gingembre en poudre
4 à 6 feuilles de chou chinois

◆ Découpez le bœuf en petites tranches fines. Mettez les champignons dans un bol, arrosez de bouillon et laissez tremper pendant 20 min.

◆ Égouttez les champignons et réservez le bouillon.

◆ Mélangez le bœuf, les poivrons, les champignons, l'oignon et l'ail dans une jatte.

◆ Mélangez le bouillon réservé, la Maïzena, la sauce de soja, l'huile et le gingembre en poudre et ajoutez le tout au bœuf.

◆ Avec les feuilles de chou, tapissez le panier d'un cuit-vapeur en bambou. Couvrez avec le mélange de bœuf.

◆ Dans une casserole, portez une petite quantité d'eau à ébullition. Posez le panier en bambou sur un support placé dans la casserole.

◆ Couvrez et faites cuire pendant 1 h 15 ou jusqu'à ce que le bœuf soit cuit. Servez dans le panier.

Pour 4 à 6 personnes
Temps de préparation : 20 min, plus 20 min de trempage
Temps de cuisson : 1 h 15-1 h 30

# Bœuf aux prunes
## *et aux champignons*

*Les prunes confèrent une douceur parfumée et fruitée à ce délicieux plat de bœuf et apportent un contraste de texture.*

1 cuil. à soupe d'huile de tournesol
1 oignon, finement émincé
1 gousse d'ail, écrasée
400 g de bœuf maigre, découpé en fines lanières
2 ou 3 prunes, dénoyautées et coupées en tranches
3 champignons plats, émincés
1 cuil. à soupe de xérès sec
2 cuil. à café de sucre roux
1 cuil. à soupe de sauce de soja épaisse
2 cuil. à café de Maïzena
2 cuil. à soupe d'eau
2 ciboules, hachées (parties vertes seulement), pour décorer

◆ Faites chauffer l'huile dans une sauteuse, ajoutez l'oignon et faites-le dorer pendant 2 min. Ajoutez l'ail et le bœuf et faites sauter à feu vif pendant 2 min.

◆ Baissez le feu et ajoutez les prunes et les champignons. Continuez à dorer pendant 1 min puis incorporez le xérès, le sucre et la sauce de soja.

◆ Délayez la Maïzena avec l'eau et versez-la dans la sauteuse, en mélangeant jusqu'à ce que la sauce ait épaissi.

◆ Versez sur un plat de service chaud et servez aussitôt, décoré de ciboule.

Pour 4 personnes
Temps de préparation : 6 min
Temps de cuisson : 8 min

# Rognons sautés
## *aux ciboules et au chou-fleur*

4 rognons d'agneau, partagés en deux et parés
2 cuil. à soupe de xérès sec
1 petit chou-fleur, divisé en petits bouquets
2 cuil. à soupe d'huile
4 ciboules, coupées en morceaux de 3 cm
1 cuil. à soupe de Maïzena
1 cuil. à soupe de sauce de soja
2 cuil. à soupe d'eau
1 cuil. à café de sucre roux
sel

◆ Incisez en croisillon chaque moitié de rognon. Faites-les mariner pendant 10 min dans le xérès.

◆ Égouttez et réservez la marinade. Faites cuire le chou-fleur dans de l'eau bouillante salée, pendant 3 min. Égouttez soigneusement.

◆ Faites chauffer l'huile dans une sauteuse. Ajoutez les rognons, les ciboules et le chou-fleur et faites sauter pendant 2 min.

◆ Mélangez la Maïzena avec la sauce de soja, l'eau, le sucre, la marinade réservée et 1 cuil. à café de sel.

◆ Versez le tout dans la sauteuse et laissez cuire doucement pendant 3 min, en remuant jusqu'à épaississement de la sauce. Servez chaud.

Pour 4 personnes
Temps de préparation : 5 min, plus 10 min de macération
Temps de cuisson : 8-10 min

▶ *Ôtez la pellicule transparente qui entoure les rognons avant de retirer la graisse du centre. Inciser le rognon lui évite de durcir et permet de le faire cuire plus vite.*

# Foie sauté

## *aux épinards et au gingembre*

*La saveur un peu amère des épinards se marie remarquablement avec le foie dans ce sauté robuste, préparé en quelques minutes.*

400 g de foie d'agneau, découpé en fines lamelles triangulaires
2 cuil. à soupe de Maïzena
4 cuil. à soupe d'huile de tournesol
500 g d'épinards frais, lavés et égouttés
1 cuil. à café de sel
2 minces tranches de racine de gingembre frais, pelées
1 cuil. à soupe de sauce de soja
1 cuil. à soupe de xérès sec
ciboule hachée, pour décorer

◆ Faites blanchir quelques secondes les lamelles de foie dans de l'eau bouillante. Égouttez et enrobez de Maïzena.

◆ Faites chauffer 2 cuil. à soupe d'huile dans un wok ou une sauteuse. Ajoutez les épinards, salez et faites sauter pendant 2 min.

◆ Retirez de la sauteuse et disposez dans un plat de service chaud. Gardez au chaud.

◆ Essuyez le wok avec du papier absorbant. Faites chauffer le reste de l'huile dans le wok, elle doit être très chaude.

◆ Ajoutez le gingembre, le foie, la sauce de soja et le xérès. Faites sauter rapidement pendant 1-2 min, une plus longue cuisson durcirait le foie.

◆ Versez le mélange sur les épinards et décorez de ciboule.

Pour 4 personnes
Temps de préparation : 10 min
Temps de cuisson : 4-5 min

► *Blanchir le foie dans de l'eau bouillante l'empêche de durcir pendant la seconde cuisson à la sauteuse.*

# Têtes de lion
## *à l'ail*

800 g de porc finement haché
1 cuil. à café de sel
2 gousses d'ail, écrasées
1 morceau de 5 cm de racine de gingembre frais, pelé et haché
4 cuil. à soupe de sauce de soja claire
3 cuil. à soupe de xérès sec
4 ciboules, hachées
1 cuil. à soupe de Maïzena
huile pour friture
30 cl de Bouillon de bœuf (voir page 10)
750 g d'épinards frais
ciboules hachées, pour décorer (facultatif)

◆ Mélangez le porc avec le sel, l'ail, le gingembre, 1 cuil. à soupe de sauce de soja et autant de xérès.

◆ Ajoutez la moitié des ciboules hachées. Incorporez la Maïzena et divisez le mélange en boulettes de la taille d'une noix.

◆ Faites chauffer l'huile dans un wok ou une bassine à friture, à 180 °C (un dé de pain rassis doit brunir en 45 s).

◆ Faites frire les boulettes. Égouttez, posez dans une sauteuse propre avec le reste de sauce de soja, de xérès et de ciboule.

◆ Arrosez de bouillon, couvrez et laissez mijoter pendant 15-20 min.

◆ Lavez les épinards et faites-les cuire dans leur eau de constitution. Égouttez et posez-les sur un plat de service chaud.

◆ Disposez les boulettes sur les épinards et décorez de ciboule hachée (facultatif). Servez aussitôt.

Pour 4 à 6 personnes
Temps de préparation : 20 min
Temps de cuisson : 25-30 min

▶ *Ce plat traditionnel de Chine du Nord tire son nom de la ressemblance des boulettes avec une tête de lion. On le sert généralement avec des nouilles disposées en « crinière » sur les boulettes.*

# Marmite mongole

250 g de vermicelles de soja
ou 500 g de nouilles aux œufs
250 g de filets d'agneau, de porc ou de bœuf
ou un mélange des 3 viandes, émincés finement
250 g d'escalopes de poulet, sans peau
et émincées finement
250 g de crevettes (entières) ou de coquilles
Saint-Jacques (émincées finement)
ou un mélange des deux
250 g de filets de poisson (sole, morue ou colin),
émincés finement
20 cl de bouillon clair
1 cuil. à café de sel
2 ou 3 cuil. à soupe de xérès sec
500 g de feuilles de chou chinois
ou de laitue romaine
250 g de champignons de Paris
375 g de tofu, coupé en petits morceaux

**SAUCE**

4 cuil. à soupe de sauce de soja claire
4 cuil. à soupe de sauce de soja épaisse
1 cuil. à soupe de sucre
2 cuil. à café d'huile de sésame
3 ou 4 ciboules, découpées en fines lamelles
3 ou 4 tranches de racine de gingembre frais,
pelées et détaillées en filaments
1 ou 2 gousses d'ail, écrasées
1 cuil. à soupe de sauce pimentée (facultatif)

◆ Faites tremper les vermicelles de soja dans de l'eau bouillante pour les ramollir, rincez sous l'eau froide, égouttez. Disposez sur la table viandes, poissons, crevettes dans des assiettes ou des bols séparés.

◆ Mélangez tous les ingrédients de la sauce et répartissez-la dans 4 à 6 bols. Posez-les sur la table, devant chaque convive.

◆ Mettez la marmite au centre de la table. Allumez le charbon de bois et emplissez la marmite de bouillon.

◆ Ajoutez le sel, le xérès, un peu de chou chinois, les champignons, les vermicelles et le tofu. Portez à ébullition. Chaque convive prend différents morceaux de viande ou de poisson et les trempe quelques secondes dans le bouillon. Quand les ingrédients commencent à changer de couleur, retirez-les du bouillon et dégustez après les avoir trempés dans la sauce.

◆ Ajoutez de temps en temps des légumes et des vermicelles dans la marmite. Les convives s'en serviront en même temps que de viande ou de poisson. Quand il ne reste plus de viande et de poisson, complétez avec du bouillon, ajoutez le reste des légumes et des vermicelles.

◆ Portez à ébullition et laissez cuire pendant 1 ou 2 min, puis versez à la louche dans les bols individuels. Servez comme une soupe avec le reste de la sauce, pour terminer le repas.

Pour 4 à 6 personnes
Temps de préparation : 15 min
Temps de cuisson : 10 min environ

▶ *Vous trouverez dans les supermarchés chinois des « marmites mongoles » à un prix abordable. Vous pouvez aussi utiliser un wok électrique. Les services à fondue ne conviennent pas, la chaleur n'étant pas assez intense.*

# Herbes et légumes

*Piments rouges séchés*

Les piments séchés n'ont fait que récemment leur apparition dans la cuisine chinoise. Ils sont parfaits pour parfumer l'huile servant à faire sauter les ingrédients. Dans de bonnes conditions, ils se conservent presque indéfiniment, restent bien rouges et gardent toute leur force.

*Champignon shiitake*

Le shiitake, l'un des ingrédients clés de la cuisine chinoise, possède un chapeau brun doré et un pied et des lamelles claires. On utilise rarement les pieds durs mais les chapeaux sont très parfumés. En Chine, ils sont souvent séchés, leur parfum étant alors plus prononcé encore.

*Ail*

L'ail est un bulbe, formé d'une série de gousses composant la tête. Employé en cuisine depuis des milliers d'années, c'est l'un des principaux ingrédients de l'histoire culinaire. Son parfum intense et bien particulier donne du caractère aux plats salés. Il est très utilisé en cuisine chinoise.

*Châtaigne d'eau*

La châtaigne d'eau, ou macre, est le tubercule d'une plante aquatique originaire du Sud-Est asiatique. Ce légume offre après cuisson une texture croquante et une saveur sucrée. Il est très souvent employé en cuisine chinoise, dans les plats sautés ou les salades. On le trouve frais ou en boîte.

*Pousses de bambou*

La pousse de bambou est une partie du bambou, graminacée ligneuse que l'on trouve en Asie tropicale. De couleur ivoire, sa texture varie selon la saison. Les pousses croquantes et sucrées sont utilisées dans la cuisine chinoise depuis le VIe siècle. On les trouve fraîches ou en boîte.

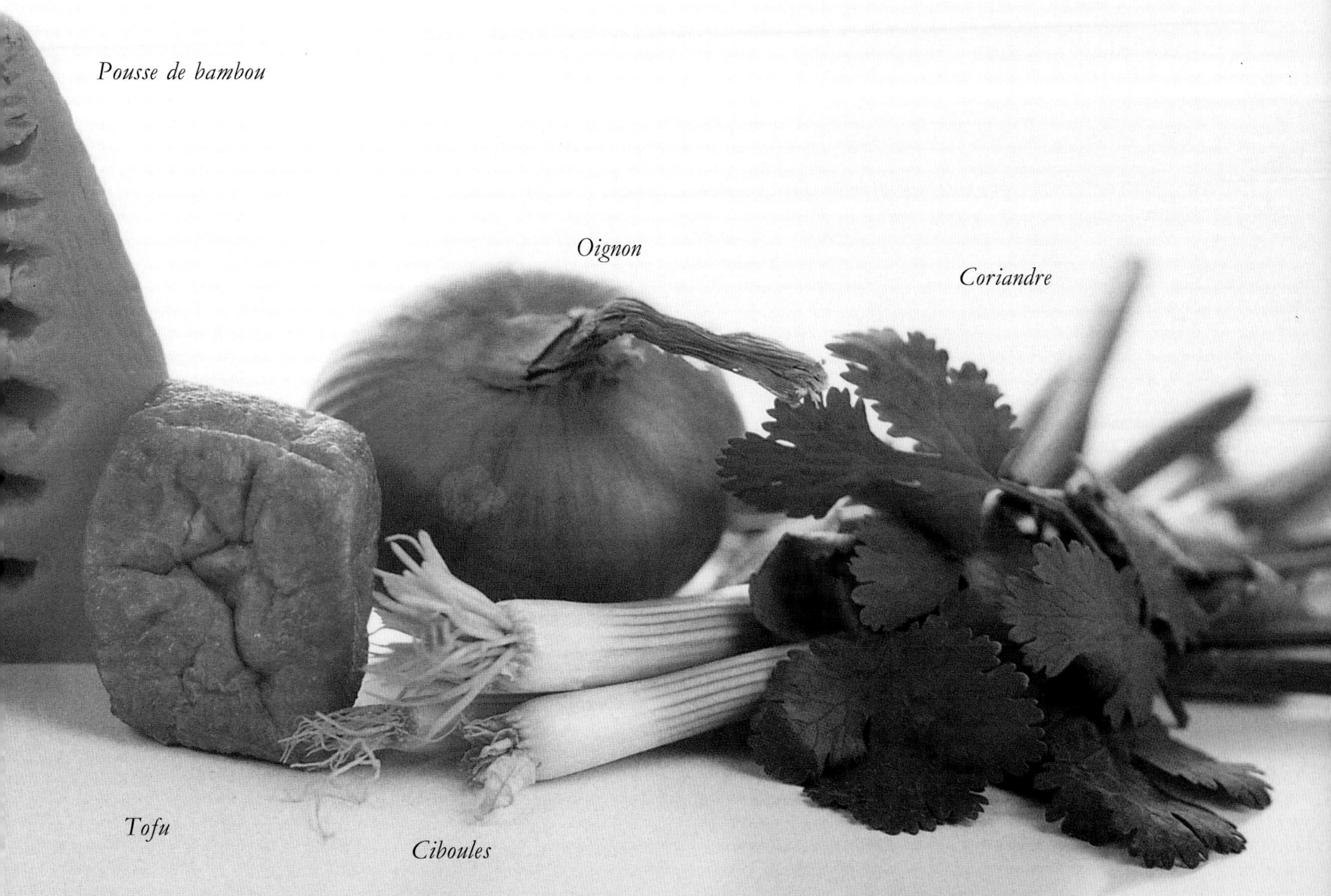


## *Tofu*

Le tofu ou tofou est une pâte faite avec des fèves de soja. Très nutritive, elle est de couleur blanc crème, a une texture lisse et un goût neutre. Le tofu se présente en bloc. Les Chinois l'utilisent de plusieurs manières, dans les soupes, en salade et dans les plats sautés. Le tofu séché peut remplacer la viande dans les plats végétariens. On le trouve dans les supermarchés et dans les épiceries chinoises. Le tofu frais doit être consommé le jour de son achat.

## *Oignon*

L'oignon est connu et utilisé depuis des milliers d'années. Sa chair blanche très aromatique, entourée d'une fine peau brune, possède une saveur piquante. Les Chinois l'ajoutent à de nombreux plats. Il est également utilisé confit au vinaigre.

## *Ciboules*

La ciboule est une sorte d'oignon blanc au petit bulbe allongé et aux feuilles vertes. Elle n'est pas très forte et on peut la manger crue ou l'ajouter à des salades. Elle est très prisée par les Chinois pour sa saveur délicate et sa jolie couleur. On peut en faire un élégant « pompon » pour décorer les plats. Vous pouvez la remplacer par de l'oignon blanc.

## *Coriandre*

La coriandre est également connue sous le nom de persil chinois. Elle présente des fleurs blanches et des feuilles d'un beau vert brillant, ainsi qu'un parfum et une saveur intenses. On utilise ses feuilles, sa racine et ses graines. La coriandre est très appréciée dans la cuisine orientale, chinoise et thaïe. Elle décore joliment les plats.

# LÉGUMES

# Salade de tofu
## *au sésame et aux cacahuètes*

400 g de tofu
150 g de poulet rôti
½ concombre moyen
50 g de cacahuètes grillées
huile pour friture

**SAUCE**

2 cuil. à soupe de pâte de sésame
1 cuil. à soupe de sauce de soja
1 cuil. à soupe de vinaigre de vin blanc
1 cuil. à soupe de xérès sec
1 cuil. à café de sauce pimentée
1 gousse d'ail, écrasée avec 1 pincée de sel
2 cuil. à soupe d'eau froide

◆ Découpez le tofu, le poulet et le concombre en dés de 1 cm. Mettez le concombre, le poulet et les cacahuètes dans un saladier.

◆ Pour la sauce, mettez la pâte de sésame dans un bol et ajoutez peu à peu le reste des ingrédients pour obtenir la consistance d'une mayonnaise épaisse.

◆ Faites chauffer assez d'huile pour faire frire les dés de tofu, jusqu'à ce qu'ils commencent à dorer.

◆ Retirez de la friture et égouttez. Faites chauffer de nouveau l'huile à 190 °C. Remettez les dés de tofu dans la friture et faites-les bien dorer.

◆ Égouttez rapidement et ajoutez le tofu aux ingrédients du saladier. Ajoutez la sauce et mélangez.

◆ Servez aussitôt pour que le tofu ne ramollisse pas.

Pour 4 personnes
Temps de préparation : 45 min
Temps de cuisson : 8 min

► *Le tofu est extrêmement nutritif. Les cacahuètes forment ici un contraste croquant avec sa texture plus molle. En supprimant le poulet, cette salade fait un excellent plat végétarien.*

# Tofu croustillant
## *à la sauce tomate*

huile pour friture
6 carrés de tofu, coupés en deux puis détaillés en petits triangles
3 grosses tomates, pelées, épépinées et finement hachées
15 cl de Bouillon de volaille (voir page 11)
1 cuil. à soupe de nam pla
1 pincée de sel
½ cuil. à café de sucre
2 ciboules (le vert seulement), coupées en fines lamelles

◆ Faites chauffer l'huile dans un wok ou une bassine à friture et faites bien dorer le tofu. Retirez de l'huile avec une écumoire et réservez.

◆ Mettez les tomates dans une casserole avec le bouillon de volaille, le nam pla, le sel et le sucre.

◆ Portez à ébullition, baissez le feu et laissez frémir pendant 15-20 min.

◆ Ajoutez le tofu et laissez frémir encore pendant 10-15 min. La sauce doit être épaisse et parfumée.

◆ Servez aussitôt, décoré de lamelles de ciboule.

Pour 4 personnes
Temps de préparation : 15 min
Temps de cuisson : 40-45 min

▶ *La cuisine orientale utilise rarement les tomates. En fait, cette recette est influencée par la cuisine vietnamienne, elle-même influencée par la cuisine française. Prenez une variété de tomate bien parfumée. Cette recette comporte du bouillon de volaille et du nam pla (dérivé du poisson). Pour une variante végétarienne, remplacez-les par du bouillon de légumes et un assaisonnement à base d'algues (boutiques diététiques).*

# Légumes au tofu

## *et au tahini*

*Plat élégant, très sain et très nutritif, grâce au tofu.*

3 champignons shiitake séchés
½ bulbe de fenouil
2 tranches de jambon
1 petite carotte, épluchée
50 g de haricots verts, effilés
40 cl de Bouillon de volaille (voir page 11)
1 cuil. à soupe de sauce de soja claire
2 cuil. à café de sucre

**SAUCE**
125 g de tofu
2 cuil. à soupe de pâte de tahini
2 ½ cuil. à soupe de sucre
1 cuil. à café de sel

◆ Faites tremper les champignons pendant 20 min dans de l'eau bouillante. Égouttez, jetez les pieds et coupez les chapeaux en lamelles.

◆ Émincez en biais le fenouil, le jambon, la carotte et les haricots.

◆ Portez le bouillon à ébullition avec la sauce de soja et le sucre. Ajoutez les légumes et laissez frémir pendant 10 min. Laissez refroidir.

◆ Pour la sauce, plongez le tofu dans une casserole d'eau bouillante, faites reprendre l'ébullition puis égouttez.

◆ Posez le tofu sur une planche, placez une assiette par-dessus et appuyez fortement pour en exprimer toute l'eau. Peu à peu, faites passer le tofu à travers une passoire.

◆ Ajoutez la pâte de tahini, le sucre et le sel. Mélangez bien.

◆ Égouttez les légumes en réservant le liquide et ajoutez-les à la sauce avec le jambon. Ajoutez un peu de bouillon, si nécessaire. Servez froid.

---

Pour 4 personnes
Temps de préparation : 20-30 min
Temps de cuisson : 15-20 min

---

▶ *Pour obtenir une variante végétarienne, remplacez le bouillon de volaille par du bouillon de légumes et supprimez le jambon.*

# Légumes braisés
## *à la chinoise*

2 ou 3 cuil. à soupe de champignons noirs séchés ou 5 ou 6 champignons chinois séchés
250 g de tofu ferme
sel
4 cuil. à soupe d'huile végétale
125 g de carottes, épluchées et émincées
125 g de haricots mange-tout, effilés
125 g de feuilles de chou chinois, ciselées
125 g de pousses de bambou en boîte, émincées, ou 1 épi de maïs
1 cuil. à café de sucre
1 cuil. à soupe de sauce de soja claire
1 cuil. à café de Maïzena
1 cuil. à soupe d'eau
1 cuil. à café d'huile de sésame (facultatif)

◆ Faites tremper les champignons noirs dans de l'eau pendant 20-25 min, sous couvercle. Jetez les pieds, rincez. Coupez-les en lamelles.

◆ Découpez chaque carré de tofu en 12 petits morceaux environ et plongez-les pendant 2 ou 3 min dans une casserole d'eau bouillante légèrement salée, pour les raffermir. Retirez avec une écumoire et égouttez.

◆ Faites chauffer la moitié de l'huile dans une cocotte allant sur le feu ou une casserole épaisse. Faites bien dorer les morceaux de tofu sur toutes les faces. Retirez. Faites chauffer le reste de l'huile dans la cocotte.

◆ Ajoutez les légumes et faites dorer pendant 1 ou 2 min. Remettez le tofu dans la cocotte, ajoutez 1 cuil. à café de sel, le sucre et la sauce de soja et mélangez. Couvrez, baissez le feu, braisez pendant 2 ou 3 min.

◆ Délayez la Maïzena avec l'eau. Versez sur les légumes et mélangez. Augmentez le feu pour épaissir la sauce puis arrosez d'huile de sésame (facultatif).

Pour 4 personnes
Temps de préparation : 15 min, plus 20-25 min de trempage
Temps de cuisson : 8-10 min

► *Les champignons chinois (trémelles) séchés ont une saveur et un parfum délicats. Vous les trouverez dans les épiceries chinoises. Faites-les tremper dans de l'eau chaude avant de les utiliser.*

# Chou chinois
## *braisé aux champignons*

500 g de chou chinois
375 g de champignons en boîte, égouttés ou
250 g de champignons de Paris frais
4 cuil. à soupe d'huile de tournesol
2 cuil. à café de sel
1 cuil. à café de sucre
1 cuil. à soupe de Maïzena
3 cuil. à soupe d'eau
50 cl de lait

◆ Séparez et lavez les feuilles du chou et coupez chacune d'elles en deux dans la longueur. Si les champignons sont frais, essuyez les chapeaux et épluchez la queue.

◆ Faites chauffer 2 cuil. à soupe d'huile dans un wok, à feu modéré. Ajoutez les feuilles de chou et faites-les dorer pendant 1 min.

◆ Ajoutez 1 ½ cuil. à café de sel avec le sucre et laissez cuire pendant 1 min. Retirez les feuilles et disposez sur un plat de service chaud. Gardez au chaud.

◆ Délayez la Maïzena avec l'eau. Faites chauffer le reste de l'huile dans le wok, ajoutez les champignons et le reste du sel et faites sauter pendant 1 min.

◆ Ajoutez la Maïzena et le lait et laissez épaissir en remuant constamment.

◆ Versez la sauce sur les feuilles de chou et servez aussitôt.

Pour 4 personnes
Temps de préparation : 20 min
Temps de cuisson : 5-10 min

► *Choisissez différentes variétés de champignons, pour transformer ce plat. Les champignons séchés chinois doivent être mis à tremper avant usage. Vous pouvez également utiliser des champignons shiitake.*

# Légumes du Nouvel An
## *confits au vinaigre*

5 feuilles de chou
1 concombre
3 carottes, épluchées
1 chou-fleur
1,5 l de vinaigre
20 échalotes, hachées
2 cuil. à soupe de racine de gingembre détaillée en filaments
1 morceau de rhizome de curcuma frais de la taille du pouce
3 piments rouges, épépinés et hachés
2 cuil. à café de pâte de crevettes
5 noix de macadamia
1 gros oignon, haché
6 cuil. à soupe d'huile de tournesol
200 g de cacahuètes
3 cuil. à soupe de sucre
4 cuil. à soupe de graines de sésame, grillées

◆ Découpez le chou, le concombre et les carottes en lamelles. Séparez le chou-fleur en petits bouquets.

◆ Portez le vinaigre à ébullition dans une casserole. Plongez-y pendant 1 min des poignées de chou, de concombre, de carotte, de chou-fleur et d'échalotes. Retirez et égouttez.

◆ Écrasez le gingembre, le curcuma, les piments, la pâte de crevettes, les noix de macadamia et l'oignon, pour former une pâte épaisse.

◆ Faites chauffer l'huile dans un wok et faites dorer ce mélange pendant 5 min. Mettez le tout dans une jatte en verre et mélangez avec les légumes. Réservez au frais pendant au moins 1 jour.

◆ Pour servir, ajoutez les cacahuètes et le sucre, mélangez et saupoudrez les légumes de graines de sésame.

Pour 4 personnes
Temps de préparation : 45 min, plus 1 jour au réfrigérateur
Temps de cuisson : 8-10 min

► *Les Chinois adorent les légumes confits au vinaigre et en préparent de grandes quantités pour célébrer le Nouvel An chinois.*

# Légumes croustillants
## *et sauce à l'avocat*

**SAUCE À L'AVOCAT**
1 ou 2 gousses d'ail, hachées
4 tomates pelées, épépinées et hachées
1 cuil. à café de piment en poudre
la pulpe de 2 avocats
1 cuil. à soupe de coriandre, fraîchement hachée
1 pincée de coriandre en poudre (facultatif)

**PÂTE À FRIRE**
125 g de farine
1 pincée de sel
1 cuil. à soupe d'huile de tournesol
15 cl d'eau
2 blancs d'œufs, battus en neige ferme

**SAUTÉ**
huile de friture
500 g de légumes mélangés : bouquets de chou-fleur ou de brocoli, haricots verts, champignons entiers, haricots mange-tout et rondelles de courgettes

◆ Pour la sauce, mettez tous les ingrédients dans un mixeur et réduisez en purée lisse. Versez dans un plat de service et placez au frais.

◆ Pour la pâte à frire, mélangez la farine et le sel dans une jatte. Incorporez peu à peu l'huile et l'eau puis ajoutez les blancs en neige.

◆ Faites chauffer l'huile à 180 °C dans un wok ou une sauteuse (un dé de pain rassis doit brunir en 45 s.)

◆ Trempez les légumes dans la pâte à frire puis faites-les frire pendant 2 ou 3 min, par petites quantités. Ils doivent être bien dorés.

◆ Faites chauffer de nouveau l'huile avant de commencer une nouvelle tournée.

◆ Égouttez les légumes sur du papier absorbant et servez avec la sauce.

Pour 6 personnes
Temps de préparation : 15 min
Temps de cuisson : 25-30 min

# Haricots verts épicés
## *au surimi*

*Délicieuse recette épicée ! En Chine, les haricots verts sont le symbole d'une vie longue et heureuse.*

8 longs haricots verts (genre mange-tout)
1 pavé de surimi (voir note)
3 cuil. à soupe d'huile de tournesol
2 gousses d'ail, écrasées
1 cuil. à soupe de pâte de piment
15 cl d'eau
1 cuil. à café de sel

◆ Découpez les haricots en morceaux de 5 cm, lavez-les et séchez-les.

◆ Coupez de même le surimi.

◆ Faites chauffer l'huile dans un wok ou une sauteuse et faites dorer l'ail.

◆ Ajoutez la pâte de piment et laissez cuire pendant 1 min, en remuant constamment.

◆ Ajoutez les haricots et laissez cuire pendant 2 ou 3 min. Ajoutez le surimi et l'eau.

◆ Augmentez le feu et faites sauter rapidement pendant 1 ou 2 min. Salez et servez aussitôt.

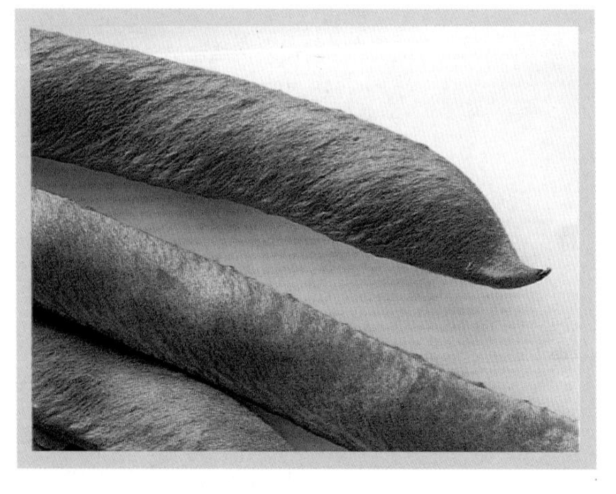

Pour 4 personnes
Temps de préparation : 10 min
Temps de cuisson : 10-12 min

► *On trouve facilement du surimi, généralement parfumé au crabe. Il se marie très bien avec les légumes.*

# Germes de soja et haricots verts *sautés à la ciboule*

500 g de germes de soja frais
250 g de haricots verts extra-fins
3 ou 4 cuil. à soupe d'huile de tournesol
1 ciboule, finement hachée
1 cuil. à café de sel
1 cuil. à café de sucre
1 cuil. à café d'huile de sésame

◆ Lavez et rincez les germes de soja dans une bassine d'eau froide, jetez les particules qui flottent en surface.

◆ Égouttez bien. Effilez les haricots verts.

◆ Faites chauffer l'huile dans un wok jusqu'à ce qu'elle fume. Ajoutez la ciboule pour la parfumer, puis les haricots et remuez plusieurs fois.

◆ Ajoutez les germes de soja et faites-les sauter pendant 30 s.

◆ Ajoutez le sel et le sucre et faites sauter encore pendant 1 min.

◆ Servez chaud, arrosé d'huile de sésame.

---

Pour 4 personnes
Temps de préparation : 10 min
Temps de cuisson : 3-4 min

---

► *Pour ce plat, il vaut mieux utiliser des germes de soja frais. Achetez-les le jour même. Les germes de soja en conserve sont beaucoup moins croustillants.*

# Aubergines marinées *à la moutarde*

*Les légumes marinés ont beaucoup d'importance dans la cuisine chinoise, pour le contraste piquant, salé ou aigre qu'ils apportent aux autres ingrédients.*

1 aubergine moyenne ou 6 petites aubergines
75 cl d'eau
1 cuil. à soupe de sel
anneaux de concombre, pour décorer (facultatif)

**SAUCE**
1 cuil. à café de moutarde forte
3 cuil. à soupe de sauce de soja
3 cuil. à soupe de xérès mi-sec
4 cuil. à soupe de sucre

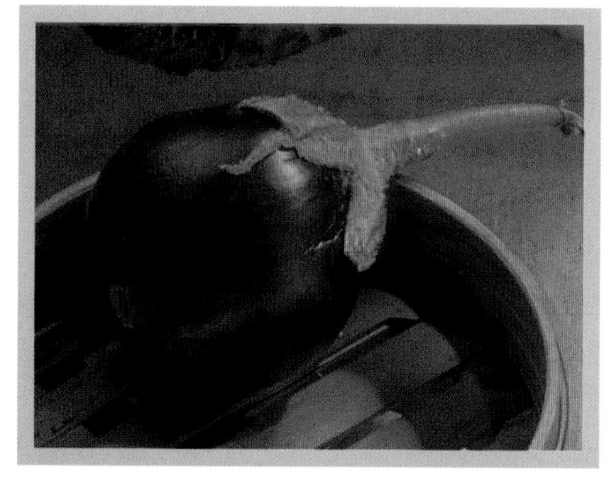

◆ Découpez l'aubergine en tranches de 3 mm d'épaisseur puis chaque tranche en quartiers. Faites tremper pendant 1 h dans l'eau salée.

◆ Pour la sauce, mélangez bien tous les ingrédients dans une jatte.

◆ Égouttez les aubergines et essuyez-les avec du papier absorbant.

◆ Disposez-les soigneusement dans un saladier en verre et arrosez lentement et uniformément avec la sauce.

◆ Couvrez le saladier avec un film plastique et mettez au réfrigérateur pendant plusieurs heures ou toute la nuit, pour exalter les parfums.

◆ Décorez avec des anneaux de concombre (facultatif).

Pour 4 personnes
Temps de préparation :
15 min, plus 1 h de trempage
et 1 nuit au réfrigérateur

► *Pour faire les anneaux de concombre, coupez des rondelles de 5 mm d'épaisseur dans un concombre non pelé et retirez les graines. Faites une entaille dans chaque tranche et enfilez les anneaux les uns dans les autres.*

# Pak-choï

## *à la sauce aigre-douce*

*Cette recette de pak-choï est savoureuse et originale : les enfants l'apprécieront même s'ils refusent généralement de manger du chou.*

3 cuil. à soupe d'huile
1 noix de beurre
1 pak-choï, épluché et coupé en lamelles
1 cuil. à café de sel

**SAUCE**
2 cuil. à soupe de Maïzena
6 cuil. à soupe d'eau
2 cuil. à soupe de sauce de soja
3 cuil. à soupe de sucre
4 cuil. à soupe de vinaigre
4 cuil. à soupe de jus d'orange
3 cuil. à soupe de purée de tomate
2 cuil. à soupe de xérès

◆ Faites chauffer l'huile et le beurre dans une casserole. Ajoutez le chou et saupoudrez de sel. Faites-le sauter pendant 2 min.

◆ Baissez le feu et laissez frémir pendant 5-6 min.

◆ Mélangez les ingrédients de la sauce dans une autre casserole.

◆ Portez à ébullition et laissez frémir pendant 4-5 min, en remuant constamment. La sauce doit épaissir.

◆ Mettez le chou dans un plat de service et arrosez de sauce. Servez chaud.

Pour 4 personnes
Temps de préparation : 5 min
Temps de cuisson : 11-13 min

► *Le pak-choï est une sorte de chou à la texture croquante et juteuse et à la saveur légèrement moutardée, qui ressemble plus à de la bette qu'à du chou. Si vous n'en trouvez pas, vous pouvez le remplacer par de la bette.*

*Pr*

parfaits comm
ingrédients d
sautés. On p
les faire cuir
en légume
d'accompagn
On les trouv
et en automn
conserve tou

*Prune chin*
La prune ch
un petit frui
peau brillan
du jaune au

# Fru

c

*Pak-choï*

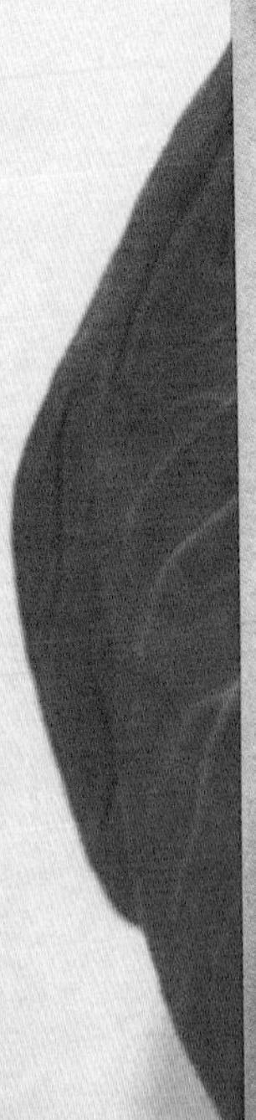

*Pak-choï*

Le pak-cho
plus à la bo
chou. Vou
trouverez c
supermarch
et chez qu
marchands
Il présente
blanches é
feuilles ve
saveur ass
peut le ma
braisé. Br

# DESSERTS

# Pommes caramel
## *à la pékinoise*

*Ces délicieuses tranches de pommes, enrobées de caramel croustillant, sont un dessert populaire que l'on trouve dans tous les restaurants chinois du monde.*

125 g de farine
1 œuf
10 cl d'eau, plus 2 cuil. à soupe
4 pommes croquantes, pelées, épépinées et coupées en tranches épaisses
60 cl d'huile de tournesol, plus 1 cuil. à soupe
6 cuil. à soupe de sucre
3 cuil. à soupe de sirop de sucre de canne
2 pommes, pelées, épépinées et émincées finement

◆ Mélangez la farine, l'œuf et 10 cl d'eau pour faire une pâte à frire. Trempez chaque tranche de pomme dans la pâte.

◆ Faites chauffer 60 cl d'huile à 180 °C, dans un wok ou une sauteuse (un dé de pain rassis doit brunir en 45 s).

◆ Faites frire les tranches de pomme pendant 2 min, retirez de l'huile et épongez sur du papier absorbant.

◆ Faites chauffer le sucre dans une autre casserole, avec le reste de l'huile et l'eau. Faites dissoudre à feu doux puis laissez frémir pendant 5 min, en remuant constamment.

◆ Ajoutez le sirop et laissez bouillir jusqu'à ce qu'un caramel se forme. Enrobez les pommes de caramel.

◆ Retirez les tranches de pomme avec une cuillère à soupe et plongez-les dans l'eau glacée. Disposez sur chaque assiette en alternant pommes caramélisées et pommes nature.

Pour 4 personnes
Temps de préparation : 15 min
Temps de cuisson : 16 min environ

# Beignets de banane

*Le citron que l'on peut ajouter à ce dessert chinois traditionnel lui apporte un parfum original et rafraîchissant.*

125 g de farine à gâteaux
40 g de farine de riz
½ cuil. à café de sel
le zeste de 1 citron finement râpé (facultatif)
huile végétale pour friture
8 petites bananes

**POUR DÉCORER**

2 citrons verts, coupés en rondelles
sucre en poudre, selon votre goût

◆ Mélangez les deux farines et le sel dans une jatte. Ajoutez 20 cl d'eau froide et fouettez pour obtenir une pâte lisse.

◆ Incorporez le zeste de citron (facultatif).

◆ Faites chauffer l'huile dans un wok ou une bassine à friture. Pelez les bananes, piquez-les l'une après l'autre avec une pique et trempez-les dans la pâte à beignets pour bien les enrober.

◆ Faites frire les bananes par petites quantités. Elles doivent être croustillantes et dorées. Retirez et épongez sur du papier absorbant.

◆ Servez chaud saupoudré de sucre, avec les rondelles de citron.

Pour 8 personnes
Temps de préparation : 15 min
Temps de cuisson : 12-16 min

► *Utilisez de préférence de très petites bananes, plus jolies et plus sucrées que les grosses. Vous les trouverez dans les boutiques asiatiques.*

# Boulettes de patate douce

## *aux fruits confits et au sésame*

*Ce dessert à base de patate douce, ingrédient inhabituel pour une friandise, est absolument délicieux !*

500 g de patates douces
125 g de farine de riz
50 g de sucre roux
125 g de fruits confits, hachés
50 g de graines de sésame, légèrement grillées
huile pour friture

◆ Faites cuire les patates douces pendant 20 min dans de l'eau bouillante. Quand elles sont cuites, égouttez-les et épluchez-les.

◆ Écrasez la chair et incorporez peu à peu la farine et le sucre. Incorporez les fruits confits.

◆ Avec vos mains mouillées, formez des boulettes de la grosseur d'une noix que vous roulerez dans les graines de sésame.

◆ Faites chauffer l'huile dans un wok et faites dorer les boulettes pendant 5-7 min. Égouttez et épongez sur du papier absorbant. Servez chaud.

Pour 4 à 6 personnes
Temps de préparation : 10 min
Temps de cuisson : 25-27 min

► *Les graines de sésame sont souvent grillées pour rehausser leur délicieux goût de noix. Faites-les simplement dorer à sec pendant 2 ou 3 min dans le wok.*

# Beignets de riz
## *à la noix de coco et à la vanille*

*Ces savoureux beignets, croustillants à l'extérieur et moelleux à l'intérieur, fondent littéralement dans la bouche.*

170 g de riz à grains moyens, cuit (voir page 32)
2 œufs battus
3 cuil. à soupe de sucre
½ cuil. à café d'extrait de vanille
50 g de farine
1 cuil. à soupe de levure chimique
1 pincée de sel
25 g de noix de coco en poudre
huile végétale pour friture
sucre glace, pour décorer

◆ Mettez le riz, les œufs, le sucre et la vanille dans une jatte et mélangez bien.

◆ Mélangez la farine, la levure chimique et le sel et incorporez le tout dans le mélange précédent. Ajoutez la noix de coco en poudre.

◆ Faites chauffer l'huile à 180 °C dans une bassine (un dé de pain rassis doit brunir en 45 s).

◆ Une par une, déposez des cuillerées à soupe du mélange dans l'huile brûlante, et faites-les bien dorer. Égouttez sur du papier absorbant.

◆ Mettez les beignets dans un plat de service chaud et saupoudrez de sucre glace. Servez chaud.

Pour 20 beignets environ
Temps de préparation : 10 min
Temps de cuisson : 8-10 min environ

► *Le riz étant l'aliment le plus important de la cuisine chinoise, il n'est pas surprenant que tant de desserts soient à base de riz sucré. Beaucoup d'entre eux sont servis traditionnellement aux repas de fête.*

# Pruniers en fleurs

## *sous la neige*

*Le fruit symbolise la première floraison du printemps et le blanc d'œuf gratiné, la neige laissée par l'hiver.*

6 pommes
6 bananes
2 citrons
6 œufs, blancs séparés des jaunes
375 g de sucre
9 cuil. à soupe de lait
9 cuil. à soupe de Maïzena
le zeste de 1 citron vert, coupé en morceaux, pour décorer

◆ Pelez les pommes, retirez le cœur et émincez-les finement. Pelez les bananes et émincez-les finement. Prélevez le zeste de 1 citron et réservez. Pressez le jus des deux citrons. Disposez pommes et bananes en couches alternées, dans 12 petits plats à four individuels, en arrosant chaque couche d'un peu de jus de citron.

◆ Dans une casserole à fond épais, mélangez bien les jaunes d'œufs, le sucre, le lait, la Maïzena et 14 cl d'eau froide. Faites chauffer très doucement, en remuant constamment, pour obtenir une crème lisse.

◆ Versez la crème sur les fruits. Battez les blancs en neige ferme et répartissez-les sur le dessus. Faites cuire dans le four préchauffé à 220 °C/th. 7 pendant 5 min, le dessus doit être croustillant et doré. Retirez les plats du four et laissez refroidir.

◆ Préparez la décoration. Faites blanchir pendant 2 min dans l'eau bouillante les zestes de citron et de citron vert. Égouttez, passez sous l'eau froide puis épongez sur du papier absorbant. Coupez en fines lamelles. Au moment de servir, éparpillez les zestes sur le dessert.

Pour 12 personnes
Temps de préparation : 30 min
Temps de cuisson : 5 min environ
Température du four : 220 °C/th. 7

# Délices à l'amande
## *et aux fruits variés*

15 g d'agar-agar en poudre ou 25 g de gélatine en poudre
4 cuil. à soupe de sucre
30 cl de lait
1 cuil. à café d'extrait d'amande
1 boîte de 425 g d'abricots en conserve ou de macédoine de fruits
50 g de raisin blanc, pelé et épépiné

◆ Dans une casserole, faites dissoudre l'agar-agar dans 30 cl d'eau à feu doux (si vous utilisez de la gélatine, suivez les instructions portées sur le paquet).

◆ Dans une autre casserole, faites dissoudre le sucre dans 30 cl d'eau, puis versez-le dans la casserole précédente et ajoutez le lait et l'extrait d'amande. Versez le tout dans un saladier.

◆ Laissez refroidir puis placez pendant au moins 3 h au réfrigérateur, le mélange doit être complètement pris.

◆ Pour servir, coupez en petits dés et mettez dans une coupe. Ajoutez les fruits et leur sirop ainsi que le raisin, mélangez. Servez froid.

---

Pour 4 personnes
Temps de préparation : 20 min,
plus 3 h au réfrigérateur
Temps de cuisson : 20 min

---

► *L'agar-agar est une poudre extraite d'une algue sans saveur propre mais très utile pour faire des plats en gelée.*

# Biscuits aux amandes

*Ces biscuits parfumés ne sont pas un dessert typique mais plutôt un mets léger de fin de repas. Comme ils sont très appréciés des enfants, faites-en en grande quantité et gardez-les dans un récipient hermétique.*

175 g de farine
1 pincée de sel
½ cuil. à café de bicarbonate de soude
75 g de margarine
2 cuil. à soupe d'amandes en poudre
75 g de sucre
1 œuf
½ cuil. à café d'extrait d'amande
15 amandes émondées
1 jaune d'œuf battu avec 1 cuil. à soupe d'eau

♦ Mélangez la farine avec le sel et le bicarbonate de soude.

♦ Incorporez la margarine, les amandes en poudre et le sucre. Liez avec l'œuf et l'extrait d'amande et pétrissez pour former une pâte.

♦ Formez 15 boulettes avec la pâte. Posez-les sur une feuille de papier sulfurisé et aplatissez-les sur environ 5 mm d'épaisseur.

♦ Enfoncez une amande émondée au centre de chaque biscuit et badigeonnez au pinceau avec le mélange d'œuf et d'eau.

♦ Faites cuire pendant 15 min au four préchauffé à 180 °C/th. 5, les biscuits doivent être dorés.

♦ Laisser refroidir sur une grille.

Pour 15 biscuits
Temps de préparation : 15 min
Temps de cuisson : 15 min
Température du four : 180 °C/th. 5

# Sorbet aux litchis

*Si vous voulez terminer votre repas par un dessert léger et rafraîchissant, pensez à ce sorbet inégalé.*

1 boîte de 500 g de litchis
125 g de sucre cristallisé
2 cuil. à soupe de jus de citron
2 blancs d'œufs
le zeste de 1 citron vert, finement râpé, pour décorer

◆ Versez le jus des litchis dans un verre mesureur et complétez avec de l'eau pour obtenir 30 cl. Versez dans une casserole et ajoutez le sucre. Faites dissoudre à feu doux puis portez à ébullition. Laissez frémir pendant 10 min, sans remuer. Retirez du feu. Réservez et laissez tiédir.

◆ Au robot ou dans un moulin à légumes, réduisez les litchis en purée, mélangez avec le sirop de sucre et le jus de citron. Versez dans un bac à glaçons et placez pendant 1-2 h au congélateur, le mélange doit être presque pris.

◆ Battez les blancs d'œufs en neige dans un bol propre. Détaillez le mélange glacé en petits morceaux, mettez dans le bol d'un robot et écrasez les cristaux de glace. Sans laisser le mélange fondre, incorporez rapidement les blancs en neige et versez dans un bac à glace plus profond. Replacez pendant 2 ou 3 h au congélateur.

◆ Pendant ce temps, préparez la décoration. Plongez le zeste de citron vert dans l'eau bouillante et faites-le blanchir pendant 2 min. Égouttez, passez sous l'eau froide puis épongez sur du papier absorbant. Coupez en petits morceaux.

◆ Retirez du congélateur 10 min avant de servir. Posez des boules de sorbet dans des coupes individuelles et saupoudrez de zeste de citron vert. Servez aussitôt.

---

Pour 6 personnes
Temps de préparation : 30 min, plus 3-5 h au congélateur
Temps de cuisson : 10 min

---

# Dim sum

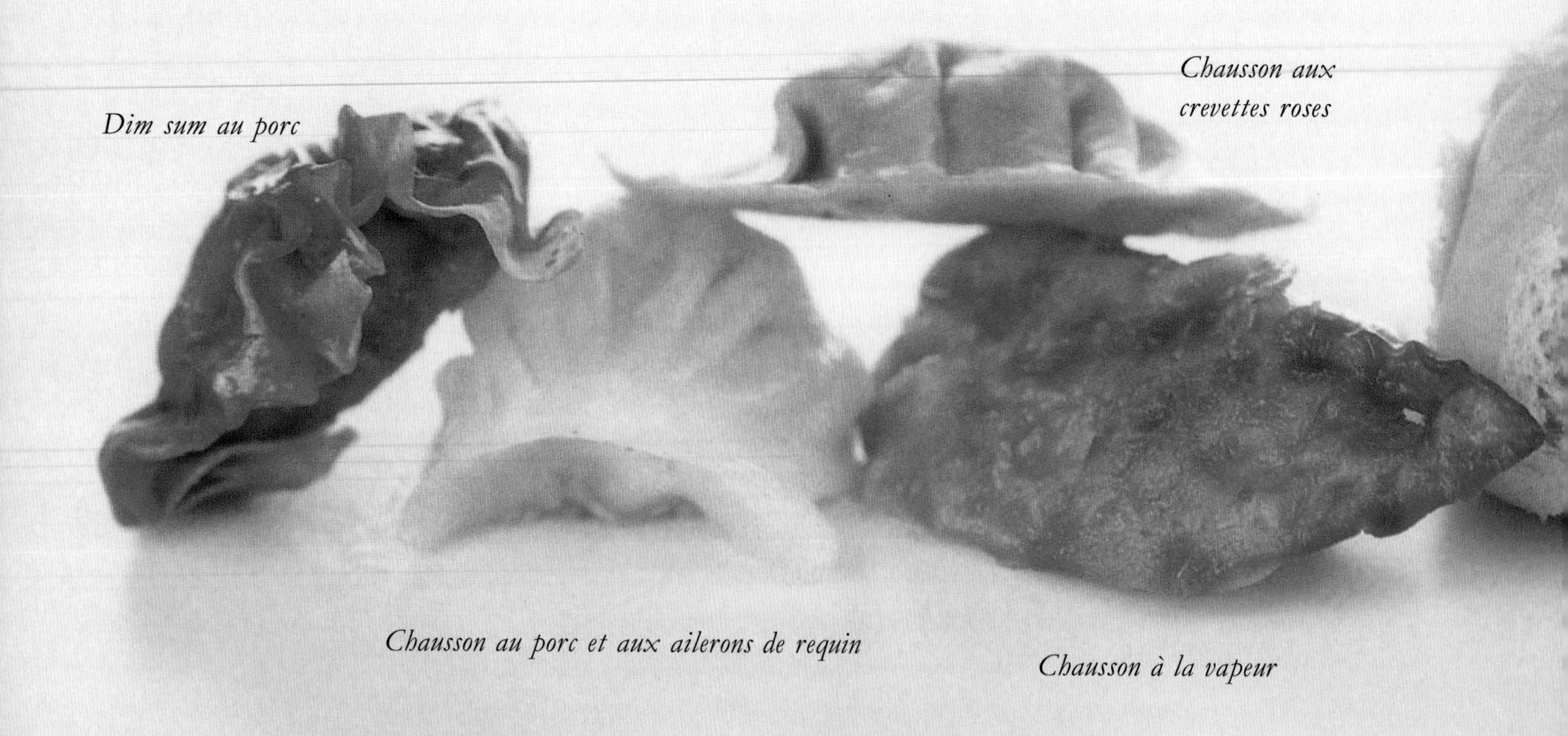

*Dim sum au porc*

*Chausson aux crevettes roses*

*Chausson au porc et aux ailerons de requin*

*Chausson à la vapeur*

## *Dim sum au porc*

Le terme « dim sum » recouvre une large gamme de petits en-cas et repas légers populaires dans toute la Chine. Ils sont servis depuis des générations dans les maisons de thé chinoises mais on les déguste aussi chez soi. La traduction littérale en est « touche le cœur », ce qui montre bien la popularité de ces délicieux petits chaussons. La coutume veut que l'on présente de nombreuses sortes de dim sum, aux goûts et aux textures différents. On sert en même temps de grandes quantités de thé brûlant, précaution indispensable pour aider à la digestion de ces mets parfois très riches. Dans les communautés chinoises, des familles entières se réunissent le dimanche matin, pour se régaler de bavardage et de « yum cha », ce qui signifie « boire du thé ». Les dim sum figurent comme spécialités au menu des restaurants chinois et les serveurs en proposent un large choix, sur une table roulante spéciale, munie de compartiments chauffés.

## *Chausson au porc et aux ailerons de requin*

Ce chausson frit contient des morceaux de porc et d'ailerons de requin. Les ailerons de requin sont très prisés en Chine et très coûteux. Ils sont réputés pour leurs propriétés supposées aphrodisiaques. Les meilleurs viennent de Chine et des Philippines. Pour préparer ce mets raffiné, il faut faire bouillir les ailerons pendant trois heures, après les avoir fait tremper toute la nuit.

## *Chausson aux crevettes roses*

Ce chausson parfumé est ravissant et délicieux ! Une farce faite avec des crevettes roses, du gingembre frais, des châtaignes

*Chausson au porc, à la crevette et à l'œuf*

*Char Sui Bao*

*Wonton*

d'eau et de la coriandre, est enfermée dans une pâte translucide. Ce chausson est cuit à la vapeur dans un panier de bambou et servi généralement avec de la sauce de soja ou de l'huile pimentée.

## *Chausson au porc à la vapeur*

Les chaussons à la vapeur sont très populaires en Chine. Pour faire la farce, le porc haché est mélangé avec de la sauce de soja, du gingembre et du vin de riz. La farce est placée ensuite sur un rond de pâte aplati que l'on replie comme un paquet, pour le faire cuire à la vapeur.

## *Char Sui Bao*

Un char sui bao est un chausson au porc cuit à la vapeur, l'un des plus populaires. La farce est faite de porc au barbecue, de tofu, de sauce de soja, d'oignon, de gingembre et d'ail. Cette farce est placée au milieu d'une pâte à pain spéciale et les chaussons sont ensuite cuits à la vapeur.

## *Chausson au porc, aux crevettes et à l'œuf*

Le mélange de porc, de crevettes et d'œuf est placé au centre d'une pâte à nouille ronde, repliée ensuite pour former un nid ouvert. Le chausson est frit et servi brûlant avec une sauce pimentée ou de soja.

## *Wonton*

Le Wonton est probablement le plus connu des dim sum. Il est fait avec de la pâte à wonton, assez difficile à réussir, surtout si vous manquez d'expérience. Vous la trouverez toute faite dans les magasins d'alimentation chinois. La pâte est repliée sur une petite quantité de farce de porc haché et assaisonné. Le chausson est ensuite frit et doit être croustillant et bien doré. Les wontons sont servis avec de la sauce aigre-douce.

# PAINS ET CRÊPES

# Crêpes roulées
## *aux champignons et au poulet*

**PÂTE À CRÊPES**
250 g de farine
1 pincée de sel
1 œuf
environ 30 cl d'eau

**FARCE**
1 cuil. à soupe d'huile
1 cuil. à café de racine de gingembre hachée
2 gousses d'ail, écrasées
250 g d'escalopes de poulet, sans peau et découpées en dés
2 cuil. à soupe de sauce de soja
1 cuil. à soupe de xérès sec
125 g de champignons, émincés
3 ciboules, hachées
50 g de crevettes, décortiquées

◆ Mélangez la farine et le sel dans une jatte, ajoutez l'œuf et assez d'eau pour faire une pâte à crêpes lisse.

◆ Huilez légèrement une poêle de 20 cm de diamètre et posez-la sur un feu modéré. Quand la poêle est très chaude, versez juste assez de pâte pour recouvrir le fond en une couche mince et uniforme. Laissez cuire pendant 30 s (le fond doit être pris) puis faites glisser la crêpe sur une assiette. Faites ainsi 12 crêpes. Gardez au chaud.

◆ Pour la farce, faites chauffer l'huile dans un wok ou une sauteuse, ajoutez le gingembre et l'ail et faites sauter pendant 30 s. Ajoutez le poulet et faites-le dorer.

◆ Incorporez la sauce de soja et le xérès, puis les champignons et les ciboules. Augmentez le feu et laissez cuire pendant 1 min.

◆ Retirez du feu, incorporez les crevettes et laissez refroidir.

◆ Posez 2 ou 3 cuil. à soupe de farce au milieu de chaque crêpe. Repliez les côtés et formez un rouleau serré, en refermant les extrémités avec une pâte faite de farine et d'eau.

◆ Faites frire pendant 2 ou 3 min dans l'huile, par petites quantités. Égouttez sur du papier absorbant et servez avec de la sauce de soja.

---

Pour 4 à 6 personnes
Temps de préparation : 10 min
Temps de cuisson : 45 min

---

► *Le poulet peut être remplacé par du porc, du bœuf ou de la dinde, cuits et découpés en petits morceaux.*

# Crêpes fourrées
## *à la pâte aux haricots sucrée*

**PÂTE À CRÊPES**
250 g de farine
1 œuf battu
30 cl d'eau

**GARNITURE**
6-8 cuil. à soupe de pâte aux haricots rouges sucrée ou de dattes finement hachées
huile végétale pour friture

◆ Mettez la farine dans une jatte, faites un puits au centre et ajoutez l'œuf. Versez l'eau peu à peu, en fouettant, pour obtenir une pâte lisse.

◆ Huilez légèrement une poêle de 18 cm et posez-la sur un feu modéré. Quand elle est très chaude, versez juste assez de pâte pour recouvrir le fond.

◆ Laissez cuire pendant 30 s, le fond doit être pris. Retirez de la poêle. Répétez l'opération pour faire ainsi 12 crêpes.

◆ Répartissez la pâte aux haricots rouges ou les dattes au milieu de chaque crêpe, sur le côté non cuit.

◆ Repliez le rabat inférieur sur la garniture puis repliez les côtés vers le centre pour former une enveloppe. Passez un peu d'eau sur le rabat supérieur, repliez-le et appuyez pour le souder.

◆ Faites chauffer l'huile dans une bassine et faites dorer les crêpes pendant 1 min. Retirez et égouttez sur du papier absorbant. Coupez chaque crêpe en 6 ou 8 tranches. Servez chaud avec du thé de Chine.

Pour 4 à 6 personnes
Temps de préparation : 20 min
Temps de cuisson : 15-20 min

▶ *La pâte aux haricots rouges sucrée est une pâte de soja épaisse vendue en boîte dans les épiceries chinoises. Elle sert souvent de base aux sauces sucrées.*

# Crêpes mandarin

*Ce sont les crêpes traditionnelles servies avec le canard laqué de Pékin.*

500 g de farine
30 cl d'eau bouillante
1 cuil. à soupe d'huile
3 cuil. à soupe d'huile de sésame

◆ Mettez la farine dans une jatte et faites un puits au centre. Mélangez l'eau et l'huile puis peu à peu, incorporez le tout à la farine avec une cuillère en bois. Versez sur une planche farinée et pétrissez pour obtenir une pâte ferme. Laissez reposer pendant 10 min.

◆ Divisez la pâte en 3 et roulez chaque part en un boudin de 5 cm de diamètre environ. Découpez chaque boudin en 8. Étalez chaque huitième en crêpes minces et plates de 18 cm de diamètre environ. Passez un peu d'huile de sésame sur un côté de la moitié des crêpes. Posez chaque crêpe huilée sur une crêpe non huilée.

◆ Placez une poêle épaisse sur feu vif, sans matière grasse. Quand elle est chaude, baissez un peu le feu. Faites cuire chaque « paire » l'une après l'autre, en la retournant quand la pâte gonfle et se boursoufle et que le dessous brunit.

◆ Quand les deux faces sont cuites, séparez les 2 crêpes avec précaution et pliez chacune en deux, côté huilé à l'intérieur. Procédez de même pour le reste des crêpes, en les gardant au chaud.

---

Pour 24 crêpes
Temps de préparation : 20 min,
plus 10 min d'attente
Temps de cuisson : environ 15-20 min

---

► *La recette du canard laqué de Pékin se trouve page 92. Ces crêpes peuvent être faites à l'avance, enveloppées dans un torchon et réchauffées à feu doux.*

# Rouleaux de printemps
## *au poulet et au crabe*

**GARNITURE**

50 g de vermicelles de soja trempés dans l'eau pendant 10 min et coupés en tronçons de 3 cm
500 g d'escalopes de poulet, découpées en fines lanières
2 cuil. à soupe de champignons chinois séchés (voir page 192), trempés pendant 20 min dans de l'eau chaude et finement hachés
3 gousses d'ail, finement hachées
3 échalotes, finement hachées
250 g de chair de crabe
huile de tournesol pour frire
poivre du moulin

**ENVELOPPES**

4 œufs battus
20 galettes de riz

**POUR DÉCORER**

pompons en ciboule pour décorer (voir page 62)

◆ Pour la garniture, mélangez bien tous les ingrédients dans une jatte. Divisez en 20 portions et formez des boudins.

◆ Passez de l'œuf battu sur toute la surface de chaque galette de riz. Laissez reposer quelques minutes pour les assouplir.

◆ Posez la farce sur le bord d'une galette, roulez une fois, repliez les côtés pour enfermer la farce et continuez à rouler.

◆ Faites chauffer l'huile à 180 °C (un dé de pain rassis doit brunir en 45 s). Faites frire les rouleaux de printemps.

◆ Égouttez sur du papier absorbant. Servez-les brûlants ou chauds, décorés de pompons de ciboule.

Pour 20 rouleaux
Temps de préparation : 30 min
Temps de cuisson : environ 20 min

► *Les galettes de riz sont faites pour les rouleaux de printemps. On les trouve facilement dans les supermarchés et bien entendu dans les magasins d'alimentation chinois.*

# Toasts aux crevettes
## *au jambon et aux graines de sésame*

*Ces délicieux toasts croustillants peuvent constituer un repas léger ou faire partie d'un déjeuner chinois.*

1 cuil. à café de xérès sec
1 cuil. à café de sel
1 blanc d'œuf
1 cuil. à café de Maïzena
500 g de crevettes, décortiquées et finement hachées
7 tranches de pain de mie, croûte retirée
2 cuil. à soupe de graines de sésame
2 cuil. à soupe de jambon haché
huile pour friture
brins de persil pour décorer

◆ Mettez le xérès, le sel, le blanc d'œuf et la Maïzena dans un bol et mélangez pour obtenir une pâte lisse. Incorporez les crevettes.

◆ Tartinez les tranches de pain avec ce mélange.

◆ Parsemez de graines de sésame et de jambon et appuyez avec le dos d'une cuillère, pour que le pain en soit bien incrusté.

◆ Faites chauffer l'huile à 180 °C (un dé de pain rassis doit brunir en 45 s). Faites frire les toasts, par petites quantités, côté crevettes vers le bas.

◆ Quand le bord du pain commence à dorer, retournez le toast sur l'autre côté et faites-le frire.

◆ Égouttez sur du papier absorbant. Découpez chaque tranche de pain en 4. Disposez sur un plat de service, décorez de persil et servez chaud.

Pour 28 toasts
Temps de préparation : 20 min
Temps de cuisson : 20-25 min

# Boulettes de crabe
## *aux châtaignes d'eau*

*Ces petites fritures sont parfaites pour un apéritif et peuvent également servir d'entrée à un repas complet.*

375 g de chair de crabe, finement hachée
50 g de lard, finement haché
4 châtaignes d'eau, épluchées et finement hachées
1 blanc d'œuf
2 cuil. à soupe de Maïzena
1 cuil. à soupe de xérès sec
huile de tournesol pour friture
sel et poivre du moulin

◆ Mettez le crabe dans une jatte avec le lard et les châtaignes d'eau et mélangez bien.

◆ Ajoutez le blanc d'œuf, la Maïzena, le sel, le poivre et le xérès. Mélangez bien.

◆ Faites chauffer l'huile à 180 °C, dans un wok ou une sauteuse (un dé de pain rassis doit brunir en 45 s).

◆ Plongez des cuillerées à café du mélange, les unes après les autres, dans l'huile bouillante.

◆ Faites frire les boulettes pour bien les dorer, retirez-les avec une écumoire et égouttez-les sur du papier absorbant.

◆ L'extérieur doit être croustillant et l'intérieur moelleux. Servez chaud.

Pour 4 personnes
Temps de préparation : environ 30 min
Temps de cuisson : 15-20 min

► *La friture est un procédé de cuisson très courant en cuisine chinoise.*

# Chausson

## *au porc et aux crevettes*

**PÂTE**
500 g de farine
18 cl d'eau bouillante
13 cl d'eau froide

**GARNITURE**
500 g de porc haché
500 g de crevettes, décortiquées et hachées
125 g de ciboules, finement hachées
1 cuil. à soupe de racine de gingembre, détaillée en filaments
1 cuil. à soupe de sauce de soja claire
1 ½ cuil. à café de sel
poivre noir du moulin
1 botte de cresson, grossièrement hachée
5 ½ cuil. à soupe d'huile de tournesol

**DIP**
2 cuil. à soupe de vinaigre blanc
2 cuil. à soupe de sauce de soja

◆ Pour la pâte, mettez la farine dans une jatte avec l'eau bouillante. Travaillez pour obtenir une pâte lisse. Laissez reposer pendant 2 ou 3 min. Ajoutez l'eau froide et pétrissez.

◆ Pour la garniture, mélangez le porc, les crevettes, les ciboules, le gingembre, la sauce de soja, le sel et le poivre. Ajoutez le cresson et 1 cuil. à soupe d'huile. Mélangez bien.

◆ Roulez la pâte en un long boudin. Coupez-la en tronçons de 4 cm de long. Aplatissez-les en petites galettes. Posez 1 cuil. à soupe de garniture sur chacune, pliez en deux et soudez en pinçant les extrémités.

◆ Faites chauffer 3 cuil. à soupe d'huile dans un wok. Inclinez le wok pour bien le huiler. Disposez les chaussons sur toute la surface du wok. Mettez sur feu vif et faites cuire pendant 2 ou 3 min pour dorer le dessous des chaussons.

◆ Ajoutez 12 cl d'eau et couvrez. Faites cuire à la vapeur sur feu vif : presque toute l'eau doit être évaporée. Retirez le couvercle et versez 1 ½ cuil. à soupe d'huile sur le bord. Baissez le feu et laissez cuire jusqu'à ce que tout le liquide ait disparu.

◆ Mélangez le vinaigre de vin et la sauce de soja pour faire le dip.

---

Pour 4 à 6 personnes
Temps de préparation :
20 min, plus 2-3 min d'attente
Temps de cuisson : 10-12 min

---

# Chaussons à la viande *au porc et au gingembre*

**PÂTE**

500 g de farine
4 cuil. à café de levure chimique
25 cl d'eau

**GARNITURE**

500 g de porc haché
1 cuil. à soupe de xérès sec
3 cuil. à soupe de sauce de soja claire
2 cuil. à café de sucre
1 cuil. à café de sel
1 cuil. à soupe d'huile de sésame
2 cuil. à café de racine de gingembre frais finement hachée
1 cuil. à café de Maïzena

◆ Mélangez la farine et la levure chimique dans une jatte. Ajoutez l'eau et pétrissez.

◆ Couvrez avec un torchon humide et une assiette. Laissez la pâte reposer pendant 2 h.

◆ Mélangez le porc avec le xérès, la sauce de soja, le sucre, le sel, l'huile de sésame, le gingembre et la Maïzena.

◆ Divisez la pâte en deux. Pétrissez-la légèrement et roulez chaque moitié en un boudin de 5 cm de diamètre.

◆ Découpez chaque boudin en 15 rondelles. Aplatissez-les pour former des ronds de pâtes de 8 cm de diamètre.

◆ Posez 1 cuil. à soupe de garniture au centre de chaque rond. Repliez, soudez en appuyant et formez un croissant.

◆ Espacez les chaussons sur une mousseline humide, dans un cuit-vapeur. Couvrez et faites cuire à la vapeur pendant 20 min.

◆ Égouttez si nécessaire et servez chaud.

---

Pour 4 personnes
Temps de préparation : 30 min, plus 2 h pour faire lever la pâte
Temps de cuisson : 20 min

---

# Wontons croustillants
## *à la sauce aigre-douce*

500 g de pâte à wontons
3 cuil. à soupe de sauce de soja claire
1 cuil. à soupe de xérès sec
500 g de porc maigre haché
1 cuil. à café de sucre roux
1 gousse d'ail, écrasée
1 morceau de 3 cm de racine de gingembre frais, pelé et haché
250 g d'épinards surgelés, décongelés
huile de tournesol pour friture

**SAUCE**

2 gousses d'ail, écrasées
1 cuil. à soupe d'huile de tournesol
2 cuil. à soupe de sauce de soja claire
2 cuil. à soupe de miel liquide
2 cuil. à soupe de vinaigre de vin
2 cuil. à soupe de purée de tomate
2 cuil. à café de sauce pimentée
2 cuil. à soupe de vin de riz
2 cuil. à café de Maïzena délayée dans un peu d'eau

◆ Découpez des carrés de 5 cm de côté dans la pâte à wontons. Mélangez dans un bol la sauce de soja, le xérès et le porc.

◆ Ajoutez le sucre, l'ail et le gingembre. Essorez les épinards dans un torchon propre et ajoutez-les au mélange.

◆ Posez 1 cuil. à soupe du mélange au centre de chaque wonton. Mouillez les bords et pliez pour former des triangles, en appuyant sur les bords pour bien les souder.

◆ Faites chauffer l'huile à 180 °C (un dé de pain rassis doit brunir en 45 s).

◆ Faites frire les wontons par petites quantités, pendant environ 5 min, pour bien les dorer. Égouttez-les sur du papier absorbant.

◆ Pour la sauce, faites dorer l'ail dans l'huile de tournesol. Ajoutez tous les autres ingrédients. Portez à ébullition et laissez cuire pendant 2 min. Servez les wontons chauds avec la sauce aigre-douce.

Pour 4 à 6 personnes
Temps de préparation : 20 min
Temps de cuisson : environ 20 min

► *Les enveloppes des wontons sont faites d'une pâte jaune, toute prête sous cellophane. Vous la trouverez dans les épiceries chinoises. Les wontons sont généralement servis avec les dim sum ou pour le thé.*

# Index

**Crédits photographiques**

Peter Myers : première de couverture
Jean Cazals : quatrième de couverture

*Photographies* de Jean Cazals

*Autres photographies :*
Reed International Books Ltd. / William Adams-Lingwood, Bryce Attwell, Robert Golden, Melvyn Grey, Christine Hanscomb, Tim Imrie, David Johnson, Paul Kemp, Graham Kirk, Vernon Morgan, James Murphy, Peter Myers, Ian O'Leary, Paul Williams.

Stylisme
Marie-Ange Lapierre